CB054497

Dados Internacionais de Catalogação na Publicação (CIP)
(Câmara Brasileira do Livro, SP, Brasil)

Leonardo, Deive
Devocional colocando a vida em ordem / Deive Leonardo. — São Paulo: Editora Vida, 2023.

ISBN 978-65-5584-343-9
e-ISBN 978-65-5584-342-2

1. Bíblia — Ensinamentos 2. Deus (Cristianismo) — Adoração e amor 3. Literatura devocional I. Título.

22-133242 CDD-242

Índice para catálogo sistemático:

1. Literatura devocional : Cristianismo 242

Eliete Marques da Silva - Bibliotecária - CRB-8/9380

DEIVE LEONARDO

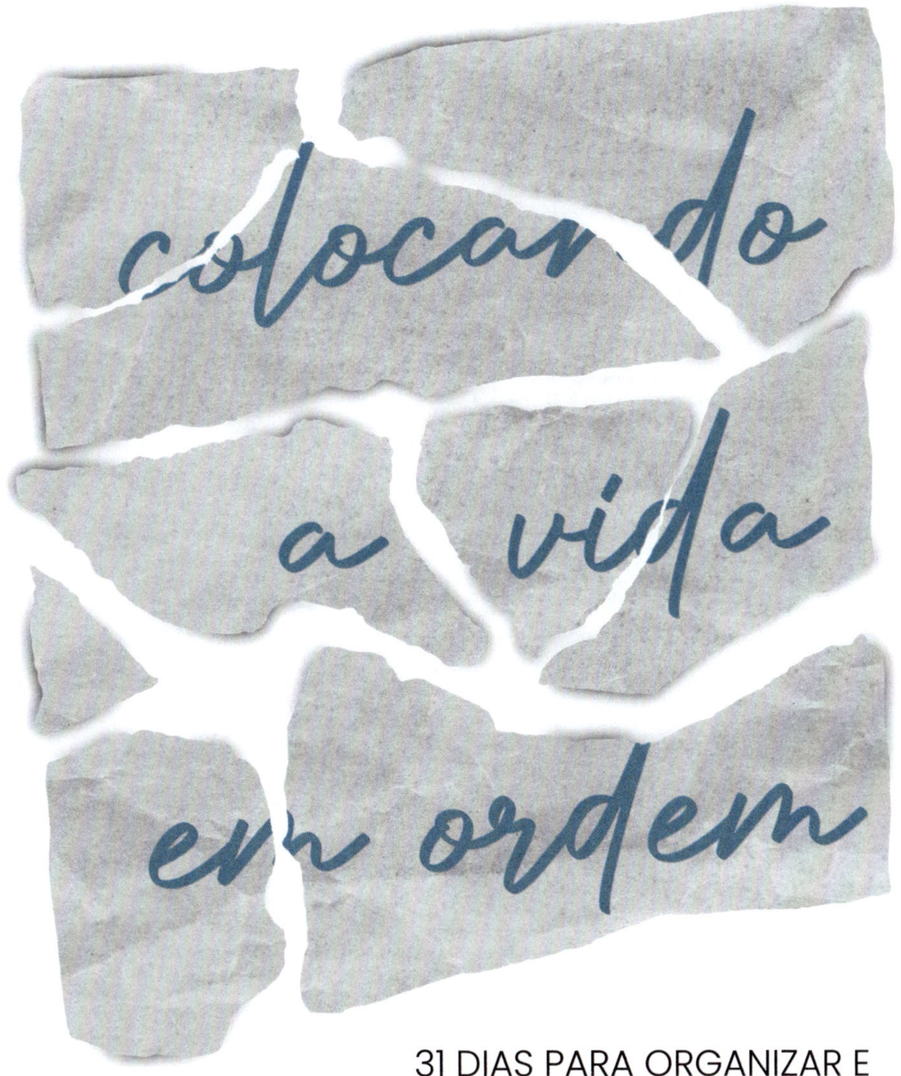

31 DIAS PARA ORGANIZAR E TRANSFORMAR A SUA VIDA

EDITORA VIDA
Rua Conde de Sarzedas, 246 — Liberdade
CEP 01512-070 — São Paulo, SP
Tel.: 0 xx 11 2618 7000
atendimento@editoravida.com.br
www.editoravida.com.br
@editora_vida /editoravida

Direção: Renan Menezes
Editoras-chefes: Gisele Romão da Cruz e Sarah Lucchini
Editor de conteúdo: Sarah Lucchini
Editor-assistente: Aline Lisboa M. Canuto
Preparação: Equipe Vida
Revisão de provas: Bruna G. Ribeiro, Emanuelle G. Malecka, Jéssica Oliveira e Vânia Valente
Projeto gráfico e diagramação: Claudia Fatel Lino
Capa: Thiago Bech e Marcelo Alves

COLOCANDO A VIDA EM ORDEM

■

As versões bíblicas utilizadas estão nomeadas a cada citação.

Todas as citações bíblicas e de terceiros foram adaptadas segundo o Acordo Ortográfico da Língua Portuguesa, assinado em 1990, em vigor desde janeiro de 2009.

■

As opiniões expressas nesta obra refletem o ponto de vista do autor e não são necessariamente equivalentes às da Editora Vida ou de sua equipe editorial.

Os nomes das pessoas citadas na obra foram alterados nos casos em que poderia surgir alguma situação embaraçosa.

Todos os grifos são do autor, exceto indicação em contrário.

1. edição: mar. 2023
1ª reimp.: mar. 2023

Esta obra foi composta em *Adobe Garamond Pro* e impressa por Ipsis Gráfica sobre papel *Offset* 75 g/m² para Editora Vida.

Dedico este livro, primeiramente,
a Jesus, que com sua graça, sabedoria e
amor colocou a minha vida em ordem.

Em segundo lugar, à minha filha,
Serena, aos meus garotos, João e Noah,
e à minha esposa, Paulinha.

Sumário

1

dia um
O ENCONTRO

IMAGINE ACORDAR BEM CEDO algum dia e, ao levantar da cama, se dar conta de que recebeu uma carta debaixo de sua porta, timbrada com um selo real, uma letra cursiva delicada e um papel cheio de ornamentos sofisticados, que anunciasse:

"Querido(a) _______________,
muito prazer, eu sou Deus.
Gostaria muito de convidá-lo(a) para um encontro comigo. Já está tudo preparado.
Basta comparecer".

Diante de um convite assim, o que você faria? O que diria se estivesse em um compromisso como esse? Se o Criador dos céus e da terra lhe desse o privilégio de se encontrar com ele, como você se comportaria? Provavelmente, tentaria elaborar algumas frases de efeito em sua mente ou elencar determinados assuntos para que a conversa fluísse com naturalidade. Talvez você já tivesse algumas perguntas na manga ou até mesmo estivesse mais preocupado com o que deveria vestir. Seja como for, de uma maneira ou de outra, todos nós criamos expectativas em situações assim. Por mais despretensioso que seja, não há ninguém que fique indiferente ao se encontrar com alguém importante.

Mas e se eu lhe dissesse que o convite para esse encontro com o Criador desliza todos os dias por debaixo de nossas portas? E se eu lhe contasse que não há um dia sequer que não recebamos uma carta oficial do Rei para nos assentarmos à sua mesa e desfrutarmos da sua presença? O que mudaria em sua vida se você aceitasse esse convite diariamente?

Alguns meses atrás, eu me lembro de acordar com uma sensação estranha no peito que não conseguia explicar. Naquele dia, eu tinha uma gravação para fazer, mensagens para escrever e uma lista incontável de tarefas e compromissos friamente cronometrados. Contudo, algo não parecia certo. Dentro de mim, crescia um desespero profundo por mais da presença de Deus. Eu estava familiarizado com aquela impressão. Era um convite. Um convite formal do Criador para mim.

O meu coração ardia e batia mais rápido, enquanto um aperto parecia dominar partes do meu corpo que eu nem sabia que existiam. Assim que me dei conta do que estava acontecendo, visivelmente emocionado, chamei minha esposa e tentei traduzir os sentimentos em palavras: "Amor", eu lhe disse, "eu não volto para casa hoje. Deus está me atraindo para um lugar em secreto! Um encontro foi marcado, e eu preciso ir". Como Maria, escolhi deixar de lado as atividades, os deveres e

Você e eu fomos criados para o relacionamento com Deus.

as expectativas dos outros a meu respeito (cf. Lucas 10.38-42) e correr em direção aos pés dele. Ali, eu sabia: não teriam aplausos, holofotes ou tratamento especial. Não importava o quanto já havia conquistado ou quem pensavam que eu fosse, nem a possibilidade de esconder o meu coração ou maquiar as minhas intenções. Seríamos só nós dois; exatamente como deveria ser.

Entrei no carro após me despedir da minha família, dei partida, suando frio, e subi uma serra próxima à minha cidade onde tinha um sítio que, curiosamente, não dispunha de casa alguma em sua extensão. O cenário inteiro era repleto apenas de árvores e muito mato ao redor. Ao chegar, tirei um facão, um par de luvas e um isqueiro do porta-malas. O vento castigava e, somado ao frio glacial, tornava tudo mais intenso e sacrificial. Comecei a caçar pedaços de madeira para fazer uma pequena fogueira, mas não antes de soltar uma caixinha de som no chão e sintonizar um louvor, enquanto calçava as luvas e chorava. A presença do Senhor já estava tão densa naquele momento, que era quase como se eu pudesse tocá-la. Sozinho, rodeado por um silêncio ensurdecedor e uma imensidão selvagem e deserta, eu glorificava, agradecia e gritava.

Acendi a fogueira, coloquei uma toalha aos pés de uma árvore e encostei as minhas costas. Fechei os olhos, respirei fundo e, em seguida, estiquei as mãos para perto do fogo. Sem querer, olhei para a minha roupa, e percebi que estava sujo de lenha de alto a baixo. Subitamente, pensei: "Nossa, eu preciso me arrumar para o encontro!". Que ingênuo. Mal sabia eu que já estava no encontro desde a hora em que tinha saído de casa. Quanta inocência pensar que tinha de me limpar para encontrá-lo, sendo que o que nos limpa é o encontro. Muitas vezes, pensamos que precisamos estar intactamente santos para nos apresentar diante do Senhor, quando é justamente o encontro com ele — aliado à leitura de sua Palavra — que nos santifica. É claro que isso não é desculpa para não levarmos a santidade e a graça divina a sério. Mas o encontro com Deus em consonância com o nosso arrependimento é o que nos transforma de dentro para fora.

Aquele dia foi inesquecível para mim. Não porque o Senhor tenha me dado algo ou respondido minhas orações, mas porque ele estava presente no encontro. A presença de Deus é suficiente. Ela é o que, de fato, precisamos. Infelizmente, muitos de nós reduzimos o relacionamento com o Senhor a meras petições e nos esquecemos que a melhor parte é simplesmente desfrutarmos da vida aos seus pés. Deus vale mais do que qualquer coisa que possamos pedir a ele. Mais do que bênçãos, orações atendidas ou a confirmação do nosso propósito divino, o encontro com a sua presença tem o poder de transformar brutalmente a nossa história — e a Bíblia está aí para não me deixar mentir. Basta um encontro para que tudo se torne novo.

Agora, é bem verdade também que, quando priorizamos a Presença, recebemos o que necessitamos. Talvez você não tenha se dado conta, mas algumas resoluções em sua vida estão à distância de um encontro. Dores, crises, respostas, medos, angústias ou quaisquer outras questões poderiam ser solucionados se você simplesmente entrasse em seu quarto, fechasse a porta, dobrasse os joelhos e, em secreto, derramasse o seu coração diante do Pai.

Um encontro pode mudar tudo. É evidente que nem sempre sentiremos frio na barriga, choraremos ou teremos uma experiência sobrenatural mirabolante em nossos quartos, e tudo bem, porque não nos movemos por sentimentos, mas por fé. Fé de que Deus está nos ouvindo mesmo quando as circunstâncias parecem gritar o contrário. Fé de que, se o Senhor prometeu, ele irá cumprir sua palavra, ainda que demore. Fé de que, apesar dos desafios, ele garantiu que, se o amássemos, todas as situações, no fim, cooperariam para o nosso bem. Fé de que Deus é exatamente quem diz ser e, por isso, podemos confiar.

Um encontro pode mudar tudo.

Naquele dia, na serra, Deus transformou profundamente o meu coração. Ele dissipou o medo, dilacerou minhas angústias, me consolou e confrontou com a sua verdade. Mas isso só foi possível porque o Senhor marcou um encontro e eu decidi comparecer. Não me refiro a um local específico, afinal, nem sempre conseguiremos nos deslocar para um monte ou um lugar isolado — e nem temos que fazer isso —; porém, é essencial estarmos presentes no encontro. Seja como e onde for, o importante é que ele tem que existir.

Neste exato instante, oro para que, ao terminar este primeiro dia de devocional, você possa atender a esse convite formal e comparecer ao encontro. Você e eu fomos criados para o relacionamento com Deus. Ansiamos pelo que é eterno, e o que vivemos agora nada mais é do que uma preparação para o nosso encontro triunfal com o Rei dos reis, que voltará para nos buscar e nos levará ao céu, onde jamais teremos contato com nenhum mal, dor, sofrimento ou pecado. Um dia, as breves tribulações que passamos agora terão fim para sempre. Sim, um dia, será para sempre, mas se engana quem pensa que a eternidade é algo que ainda está por vir, pois esta já começou, aqui e agora, e é exatamente por esse motivo que podemos, hoje, experimentar o céu invadindo a terra.

Jesus, muito obrigado porque o Senhor nos deu a chance de podermos nos encontrar contigo, e por, nesta breve passagem de tempo na terra, termos o privilégio de sentir a tua presença e sermos respondidos por ti. Pai, que o anseio que o Senhor depositou no coração de cada um que está lendo estas palavras seja saciado por um encontro glorioso com a tua presença nos próximos minutos.

Como diz o salmista, cria em nós um coração puro, e renova em nós um espírito reto. Não nos lances fora da tua presença, e não retires de nós o teu Espírito Santo (cf. Salmos 51.10-11).

Clamo, hoje, para que o Senhor derrame mais temor em nosso coração e nos ensine a valorizar a tua presença acima de qualquer compromisso, cronograma e indivíduo. Quebranta o nosso coração e abre a nossa mente para receber as verdades eternas.

Muito obrigado, pois tu és o Deus dos encontros, Aquele que nos encontrou primeiro para que pudéssemos te encontrar a qualquer hora. Nós te amamos. Em nome de Jesus, amém!

2

dia dois

NÃO JOGUE A TOALHA

TODO MUNDO TEM UMA missão na vida. Alguns foram criados para estar em evidência, ao passo que outros jamais estarão sob os holofotes. Embora a maioria tenha a tendência de valorizar quem ocupa uma posição de destaque, isso, definitivamente, não significa que a missão que não é vista por um grande número seja inferior, ou até mesmo que a pessoa com visibilidade esteja, de fato, cumprindo o seu propósito divino. De alguma forma, todos nós temos o poder de influenciar e viver de maneira extraordinária nesta terra, mas cabe a nós termos coragem para enfrentar as adversidades ao longo da jornada, sem desistir, e terminarmos a missão.

A passagem de Mateus 14 nos apresenta duas missões: a dos discípulos e a de Jesus. A primeira era muito simples:

eles teriam que entrar no barco e atravessar para o outro lado. A segunda também não parecia complicada: Jesus teria que despedir a multidão. Duas missões, dois objetivos claros que precisavam ser concluídos.

A vida é feita de missões triviais e complexas. Algumas são cotidianas, enquanto outras são mais demoradas e difíceis. De qualquer forma, cada missão tem o seu grau de desafio, o seu tempo determinado para acabar e o poder de nos encaminhar para mais perto da nossa grande missão de vida dada por Deus. Você tem uma razão para existir, uma missão desenhada pelo Criador que combina perfeitamente com as habilidades que já carrega e com aquelas que ainda irá adquirir, se não desistir no meio do caminho.

Persevere!

Eu tenho a minha missão, e uma das perguntas que mais recebo é se algum dia já pensei em desistir ou se houve momentos em que quis abandonar tudo e não ser quem sou hoje. É claro que sim, e não foram poucas as vezes em que vivenciei situações tão doloridas e obscuras que pensei seriamente em abrir mão de tudo para voltar a ser quem eu era antes de ter aceitado a missão. E aqui chegamos em um ponto importante: ninguém pode cumprir uma missão que não aceitou previamente.

Muitos desejam assumir os riscos da missão apenas após compreenderem o que terão que realizar, quais possíveis ameaças, problemas e recompensas virão, mas isso é irreal. Todos temos uma missão divina personalizada, e a escolha de vivê-la recai sobre nós diariamente. Um passo de cada vez, um leão por dia, e assim vamos nos aproximando do cumprimento do grandioso e exclusivo propósito que Deus depositou em nós. Não conhecemos o futuro, mas sabemos quem já está lá cuidando de tudo e lutando a nosso favor. É por essa razão que tudo o que planejamos e executamos, do amanhecer ao anoitecer, tem de fazer parte da missão que o Senhor nos confiou. Mas nada disso poderá ser posto em prática se jogarmos a toalha.

Jesus disse para os discípulos entrarem no barco e irem para o outro lado. Aquela era uma ordenança, e esse trecho é interessante porque, normalmente, Cristo falava de maneira convidativa: aqueles que quiserem, se puderem, façam isso. Mas não nessa passagem. Nela, Jesus age diferente, pois os discípulos já haviam aceitado a missão. Uma vez que passamos a andar com Deus, ele é quem dita as regras. A missão é dada por ele e, se desejamos realizá-la, precisamos obedecer ainda que, de imediato, não entendamos.

A história continua e o livro de Mateus nos conta que os discípulos entraram no barco com a pequena missão de chegar ao outro lado da margem. A Bíblia está repleta de narrativas acerca de missões que foram delegadas a pessoas: "Não comam deste fruto"; "Construa uma arca"; "Liberte o meu povo do Egito"; "Destruam todos os ídolos"; "Vá até aquela cidade e pregue o arrependimento". Todos os homens e mulheres das Escrituras tinham missões para cumprir. Ana, Adão, Ester, Daniel, Abraão, Davi, Débora, Sara, José, Paulo... todos tinham grandes missões divinas e, assim como os discípulos, também tiveram de enfrentar incontáveis resistências na trajetória.

A Bíblia revela que, ao entrarem no barco, eles começaram a remar e, mesmo depois de Jesus ter despedido toda a multidão, que não era pequena, os discípulos não haviam conseguido chegar ao outro lado. Na verdade, após horas tentando completar a pequena missão, a Palavra nos afirma que eles estavam no meio do mar quando o barco começou a ser açoitado pelas ondas devido ao vento contrário. Ali, diante daquele aparente caos insolúvel, eles tinham uma decisão a tomar: seguir em frente e cumprir a ordem de Cristo ou retornar para a margem de onde haviam partido.

Em nossa vida também é assim. Às vezes, no meio da nossa missão, as ondas e o vento se apresentam e temos de escolher sobriamente como reagiremos diante das turbulências. O problema é que, nesses momentos, muitos se desesperam e permitem que toda a sua paz, alegria e esperança sejam roubadas ou destruídas por uma circunstância natural, e, com isso, acabam voltando para o lugar de onde saíram, ou pior, morrendo onde estão.

Sempre temos uma escolha. Por mais dolorida, custosa e assustadora que seja, os que completam a missão são justamente os que perseveram, apesar dos obstáculos. Nunca saberemos o nome daqueles que desistiram. Jamais lembraremos de alguém que não ousou sair do lugar comum. Santos Dumont, Lutero, Marie Curie, Thomas Edison, Gutenberg, Joana D'Arc, C. S. Lewis, João Batista, Davi, princesa Isabel, William Wilberforce, Carlota de Queiróz... O que todos eles têm em comum? Por que sabemos seus nomes?

Somente os que não desistem mudam a história. Você só será lembrado e deixará um legado consistente nesta terra se não abandonar sua missão. Não se iluda ao pensar que apenas grandes personalidades podem fazer a diferença e lapidar seus nomes no mundo. Missão alguma é pequena diante de Deus.

Maria era uma adolescente extremamente comum, mas foi escolhida para ser mãe do Salvador. Ana recebeu uma incumbência do céu para gerar o profeta Samuel, primeiramente, por intermédio de suas orações, para então concebê-lo e entregá-lo ao Senhor a fim de que servisse no templo. Da mesma forma, Loide e Eunice se converteram ao cristianismo e educaram Timóteo, que se tornou, mais tarde, discípulo de Paulo e um dos líderes mais influentes da igreja primitiva. João Batista, igualmente, abriu caminho para o Mestre. Nenhum desses indivíduos teve um papel de destaque propriamente dito. Na realidade, eles eram seres humanos bastante comuns, que decidiram aceitar o chamado divino, ainda que isso significasse "apenas" cumprir o seu papel de mãe, de avó, ou, até mesmo, de um profeta rejeitado por seus conterrâneos que precederia alguém incomparavelmente superior.

Somente os que não desistem mudam a história.

Por algum motivo, temos uma estranha tendência de fantasiar a grandeza terrena como se ela parecesse com a celestial, mas o céu não costuma aplaudir o mesmo que a terra. A nobreza e grandiosidade diante de Deus, na maioria das vezes, pouco têm a ver com o que costumamos valorizar.

Não importa o que fomos convocados a realizar, e sim quem nos convocou para a missão. Entretanto, nesse processo, temos de nos lembrar: apesar da humilhação, da adversidade, do tamanho das ondas ou da intensidade do vento, nunca cumpriremos nossa missão se desistirmos no meio do mar. Os discípulos entenderam isso. As Escrituras revelam que, de repente, na metade do trajeto, eles avistaram alguém andando sobre as águas. Imagino que, diante daquela confusão, todos estavam concentrados, tentando tirar a água de dentro do barco e completar aquela pequena missão. Apesar do susto, logo se deram conta de quem se tratava: Jesus de Nazaré ia em direção a eles.

As situações mais sobrenaturais e incríveis de nossa vida acontecem nos instantes em que somos provados e perseveramos. Às vezes, é exatamente no meio do caos que conhecemos uma faceta de Deus que até então não estava disponível para nós. Os discípulos nunca tinham visto Cristo andar sobre as águas até o momento em que estavam no meio do mar e necessitavam da intervenção divina. As ondas colossais e o vento robusto, muitas vezes, são o impulso que precisamos para viver uma história extraordinária com Deus. Nos períodos em que mais experimentei turbulências foram os que mais vivi experiências profundas e transformadoras com Jesus que me fizeram mais parecido com ele.

Não desista da missão específica que Deus delegou a você. Porque o mesmo Cristo que caminhou sobre as águas e acalmou os ventos é aquele que nos convida a também andar sobre as águas e nos habilita a completar a missão.

Passos práticos

1. Ore e peça ao Senhor que revele a sua missão de vida [*não pare de orar até receber a confirmação*];
2. Em seguida, rogue ao Espírito Santo que traga à sua memória todas as habilidades que ele colocou em você para cumprir essa missão e as que ainda precisam ser desenvolvidas;
3. Anote tudo em um caderno e se proponha a orar diariamente por esses tópicos.

3

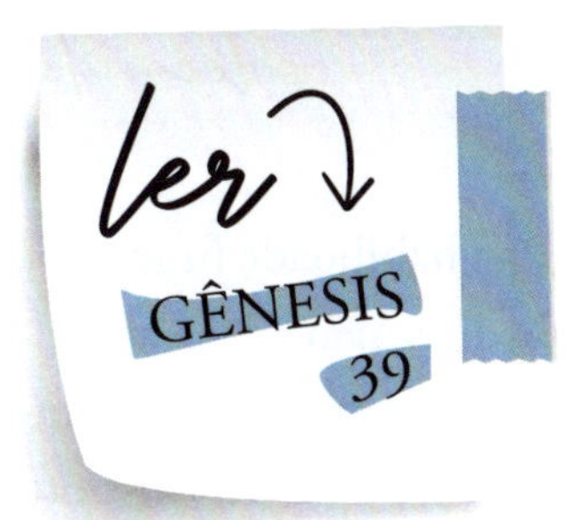

dia três

ENE-A-Ó-TIL

NÃO IMPORTA O QUANTO nos custe, princípios são inegociáveis. Essa, talvez, seja uma verdade difícil de engolir, ainda mais neste mundo moderno que nutre tanta resistência a tudo que pareça concreto e absoluto. Em nome da tolerância, da influência, do *networking*, e dos "amigos", pessoas preferem aceitar e se sujeitar a todo tipo de atrocidade, inverdade e capricho. "Veja bem", elas dizem, "as coisas são relativas. Não precisamos levar tudo ao pé da letra assim. Você é muito quadrado." E, assim, aos poucos, nosso caráter, valores e princípios começam a escorrer pelo ralo.

Hoje, as pessoas estão tão viciadas em aprovação humana, que preferem se submeter a realizar algo, frequentar ambientes e se comprometer não apenas com aquilo que não desejam, como, pior, com aquilo que vai contra a essência de cada uma. Muitos têm perdido sua alma por não terem desenvolvido uma habilidade fundamental a todo ser humano: a capacidade de dizer não.

Dizer não é coisa difícil de se fazer, eu sei. Afinal, gera indisposição, pode fechar portas, excluir ou afastar amigos e familiares, mudar a maneira como nos enxergam, e a lista não tem fim. Entretanto, dizer não também tem o poder de filtrar o que permitimos em nossa vida e, quando fazemos isso, preservamos a nossa essência. Além disso, o não também nos revela aqueles com quem podemos contar de fato e protege o nosso futuro, já que tudo aquilo que plantarmos, certamente, colheremos.

José entendia bem esse princípio. Ele era um homem com H maiúsculo. Enquanto alguns classificam um homem de verdade, hoje em dia, como aquele que se deita com o maior número de mulheres possíveis, José, um jovem rico, que vivia no conforto e segurança de sua família, foi, subitamente, arrancado de seu lar, vendido como escravo pelos próprios irmãos, e acabou em uma terra estrangeira completamente distinta e afastada da sua, e ainda assim não se corrompeu. Não tinha ninguém para observá-lo. Não havia sequer uma pessoa para cobrá-lo ou fiscalizar o seu comportamento. Contudo, o meio em que estava, a cultura e a religião locais, a promiscuidade, a idolatria, os seus donos e a falta de vigilância de seus familiares não foram suficientes para perverter o caráter daquele homem de Deus. Alguns não chegaram a cometer certos pecados, não por temerem ao Senhor e fugirem da aparência do mal, mas porque nunca tiveram a oportunidade. É necessário coragem,

Muitos têm perdido sua alma por não terem desenvolvido uma habilidade fundamental a todo ser humano: a capacidade de dizer "não".

temor a Deus e muita perseverança para lutar e dizer não ao que nos afasta de Cristo.

Gênesis nos conta a história desse jovem hebreu, que havia recebido sonhos formidáveis e imponentes da parte de Deus. Só que existe uma distância entre o sonho e a realidade. Nesse percurso, muito teria se perdido caso José não tivesse se posicionado de acordo com os princípios divinos, inclusive ele mesmo. Apesar das promessas e do futuro brilhante que Deus havia traçado para o filho de Jacó, ele poderia ter colocado tudo a perder se não tivesse temido a Deus e dito não ao pecado. Então, surge a questão: de que adianta ganhar o mundo inteiro e perder a sua alma? (cf. Marcos 8.36). José poderia ter prostituído o seu caráter e identidade por uma tentação barata e efêmera, mas, talvez, a história seria bem diferente da que conhecemos. Quem sabe até nem ouvíssemos falar dele se tivesse escolhido agir de outra maneira.

O que me encanta nessa história não é a perfeição desse rapaz, mas, justamente, o seu temor a Deus e a sinceridade em reconhecer que, se permanecesse no mesmo ambiente que a mulher de Potifar, ele, provavelmente, cederia à tentação. Essa narrativa nos mostra um homem real, um ser humano, como você e eu. Alguém com falhas, medos, inseguranças, e que sofria tentações. A Bíblia, porém, nos mostra que, em razão do seu amor e temor a Deus, ele foi capaz de suportar as piores circunstâncias.

É no secreto que, muitas vezes, somos treinados. Quando ninguém nos vê, além do Senhor. São os instantes em que não temos plateia que ele usa para provar o nosso coração e passar o nosso caráter, ego e intenções pelo fogo purificador. À medida que perseveramos e nos mantemos fiéis, somos aprovados e, dessa forma, nos tornamos mais parecidos com Cristo e chegamos mais perto do propósito para a nossa vida.

José, ao sair correndo da presença da esposa de Potifar, nos deixou mensagens extraordinárias. A primeira é que as oportunidades não podem ter mais valor do que o nosso propósito. A segunda é que a dimensão do nosso temor a Deus será proporcional à força que teremos para dizer não à tentação e ao pecado. E a última é que, se um homem falho, como ele, foi capaz de guardar os princípios, existe esperança para mim e para você.

Quando abrimos mão de um princípio, atrasamos aquilo que Deus reservou para nós. Aliás, corremos o risco de deixar de cumprir ou receber as promessas divinas, pois a desobediência, o amor ao mundo e o temor aos homens podem nos levar à ruína. Não se venda. Não troque as bênçãos celestiais por um prato de lentilhas (cf. Gênesis 25.29-34). Não tolere o pecado em sua vida. Para vivermos uma vida abundante, precisamos andar na luz, guardar os princípios bíblicos, temer ao Senhor e aprender a dizer não. Não nascemos para agradar os outros. Se nem Jesus agradou todo mundo, por que tentamos tanto ter a aprovação humana? Na realidade, não nascemos nem mesmo para agradar a nós mesmos. A nossa existência nesta terra está atrelada unica e exclusivamente a glorificar ao Senhor.

Muitos de nós acabam se perdendo no caminho porque não entendem que a verdadeira satisfação só pode ser encontrada em Deus. Desejamos prazeres temporários e contrários aos padrões divinos, porque ainda não descobrimos o sabor da presença dele. Cedemos facilmente às nossas vontades, pois nos falta o conhecimento da grandeza, majestade e pureza do Senhor.

Precisamos voltar à essência. Temos que reconhecer a nossa humanidade, fraqueza e incapacidade diante do Rei dos reis, e permitir que ele nos lave, nos purifique e nos ensine a viver. Contudo, para isso, precisaremos dar um passo em direção ao Senhor e nos posicionar diante do mundo: N-Ã-O.

"Não, eu não irei". "Não, eu não quebrarei os princípios". "Não adulterarei, não mentirei, não fofocarei, não falarei mal de ninguém, não roubarei, não cederei ao pecado, não me vestirei como todo mundo, não serei conivente com a maldade, não me comportarei como o resto das pessoas, não direi algo só para agradar os outros, não corromperei a minha essência".

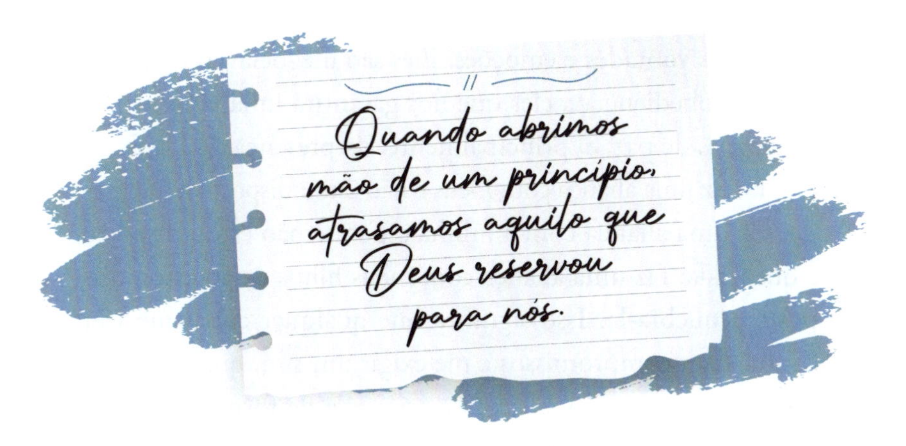

Falar "não" é difícil, mas se torna libertador quando aprendemos a dizê-lo. Eu me lembro de uma vez em que estava nos Estados Unidos e entrei com um dos meus filhos em um mercadinho que era extremamente barato. Na época, o meu filho já estava crescido, então, entendia tudo. Rotineiramente, no tempo em que ficamos na cidade, íamos ao mercado, e o João sempre pedia para comprar uma porção de coisas. Como tudo era muito baratinho, eu nunca me opunha. Fiz isso uma, duas, três, até que, na quarta vez, percebi: eu estava destruindo o meu filho. Ele não tinha noção de quanto valiam aquelas coisas; já não sabia o valor do que estava pegando na mão. Era barato para mim, mas ele não sabia quanto custava. Foi então que, no quarto dia, sem preparação nenhuma, ao chegar com um monte de coisas na mão, eu lhe disse: NÃO. Só quem é pai ou mãe sabe a dificuldade de negar algo a um filho. João não estava preparado para aquilo. Não sei nem se eu estava, porém, naquele momento, tive que silenciar as minhas emoções, porque elas não podiam estar acima do caráter do meu filho.

Por mais difícil que seja, a dor momentânea nunca superará a dor futura por algo que não foi tratado e arrancado pela raiz quando deveria. Os princípios precisam estar acima das nossas vontades e emoções. Eles são inegociáveis e é justamente a obediência a eles que nos garantirá uma vida repleta de alegria, de paz, e, principalmente, da presença de Deus.

Eu fiz uma aliança com Deus e não estou disposto a quebrá-la. Fiz uma aliança com a minha esposa e não estou disposto a quebrá-la. Fiz uma aliança com meus filhos e não estou disposto a quebrá-la. Isso significa que qualquer coisa que vier contra esses compromissos e me exigir um sim, quando a resposta deveria ser não, eu me posicionarei de forma contrária. Ainda que doa, que custe, e que, na hora, me entristeça, nada vale mais do que a verdade e o compromisso que temos com o Senhor e com quem amamos. Necessitamos do Espírito Santo para nos guiar em toda a verdade e traçar o nosso caminho. Precisamos ouvir dele o que fazer.

Quando aprendemos a dizer não, debaixo de um direcionamento do Espírito, protegemos a nossa família, nossa própria vida e caminhada cristã, o nosso ministério, talentos e destino. Não negocie o que tem valor. Não é porque uma circunstância mudou que, de repente, temos o direito de quebrar princípios.

Os princípios não são relativos. Deus não muda. A Palavra dele não muda. E, se decidirmos obedecê-lo, apesar dos pesares, colheremos de acordo com o que plantarmos. Pode demorar, mas a recompensa é certa, porque aquele que promete não quebra seus próprios princípios.

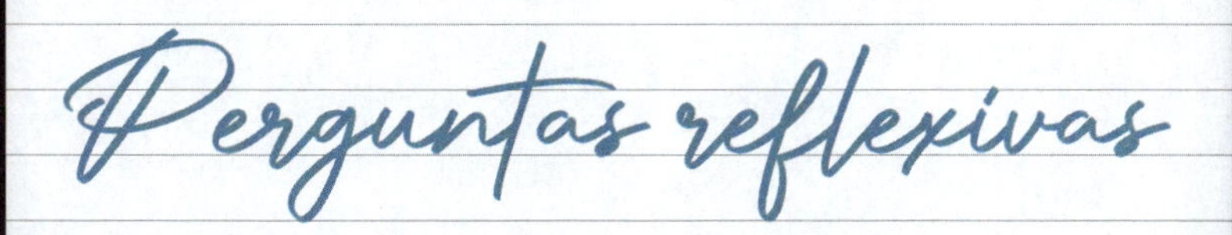

1. Sonde o seu coração, seja sincero e responda: você tem quebrado algum princípio de Deus? Se sim, qual?

2. Quais foram os gatilhos que levaram você a esse ponto?

3. O que você pode fazer em curto a médio prazo para mudar isso?

4

dia quatro

CHEGA DE RECLAMAÇÃO

NO LIVRO DE ÊXODO, a Palavra nos relata a conhecida história do povo de Israel, que foi liberto por Deus por meio da vida de Moisés. Os milagres no Egito e ao longo da trajetória dos hebreus no deserto foram tão escandalosos que, após milhares de anos, a fama do que o Senhor realizou em favor deles naqueles dias é narrada e disseminada até hoje por nós.

Aquelas pessoas testificaram com os próprios olhos as águas se transformarem em sangue; rãs, piolhos, moscas, feridas, chuvas de pedras e gafanhotos afligirem os egípcios e suas plantações; pestes castigarem bois e vacas; uma escuridão total tomar conta da nação por três dias e presenciaram a morte devorar todos os primogênitos do Egito. O povo de Israel também testemunhou o mar se abrir em seu benefício, a comida cair do céu para alimentá-lo, roupas e sapatos não se desgastarem com o tempo, uma coluna de fogo e uma nuvem o acompanhar e mostrar o caminho, além de receber de Deus água de uma rocha. Tudo isso sem contar o fato de que o Senhor havia libertado cada um deles e lhes feito sair do Egito com incontáveis despojos após centenas de anos em escravidão. Contudo, apesar de estarem em direção à terra prometida, desfrutando da tão aguardada liberdade e dos assombrosos milagres divinos, ainda assim, as Escrituras nos afirmam que eles murmuravam incessantemente.

A reclamação era tamanha que, mesmo depois de tantas manifestações palpáveis e monumentais da parte de Deus, os hebreus foram capazes de dizer que preferiam voltar ao Egito, na condição de escravos, a passar mais tempo no deserto, em liberdade. A murmuração é uma ofensa tão grave diante do Senhor, que fez com que toda aquela geração fosse impedida de viver as promessas.

Pare para pensar um minuto: aquele povo era escravo; eles apanhavam, provavelmente, todos os dias, eram obrigados a trabalhar pesado sem receber nada em troca, eram maltratados, viviam uma vida miserável e a probabilidade de passarem fome, frio e calor era altíssima. Depois de anos, ao ouvir o clamor do povo, Deus levantou um homem para libertá-los, deu-lhes a vitória sobre seus opressores, a promessa de uma terra que manava leite e mel e, além de guiá-los e mostrar o seu poder por meio de inúmeros milagres, ainda lhes fez sair daquela terra com joias, objetos de prata e ouro, e finas vestimentas egípcias. O Deus de Israel havia se revelado de forma temível, real e suprema para o seu povo, mas eles estavam tão cegos pela ingratidão que não foram capazes de perceber que o Deus invicto lutava em seu favor. Fisicamente, não eram mais escravos, mas a escravidão continuava acorrentando-os e subjugando-os por dentro.

A murmuração tem o poder de nos escravizar. Ela não apenas revela um coração ingrato, como nos impede de enxergar a realidade de fato. Os israelitas focaram tanto em si mesmos e nas pequenas coisas que não tinham, que acabaram impossibilitados de ver todas as manifestações sobrenaturais, as maravilhas, a proteção, o cuidado, as vitórias, o amor e a provisão que já haviam recebido de Deus. O foco deles estava apenas em uma parte reduzida e muito, muito limitada da realidade que os cercava. É como se houvesse uma parede gigante, toda pintada de branco e, do nada, surgisse um pontinho preto minúsculo, e, sem mais nem menos, não conseguissem ver mais nada além do pontinho insignificante.

A murmuração tem o poder de nos escravizar.

Muitas vezes, nós agimos assim também. Está tudo bem-feito, diversas áreas estão fluindo em nossa vida, mas, se um detalhe estiver fora do esperado, inutilizamos todo o resto, nos deixamos abater e passamos a reclamar — como se nada estivesse dando certo. Deus nos deu vida, saúde, uma família — seja de sangue, seja por meio do corpo de Cristo —, roupas para vestir, comida na mesa, inteligência e, acima de tudo, nos entregou o que jamais seremos capazes de retribuir: a vida de seu único filho, que, por meio do maior de todos os sacrifícios, nos limpou e reconectou com o Pai. A verdade é que já temos tudo o que precisamos. A questão é que, na maioria das vezes, não conseguimos enxergar porque estamos analisando o mundo pela perspectiva do pontinho preto, com o rosto quase colado na parede. Entretanto, quando fazemos o exercício de nos afastar do cenário, nos distanciamos do motivo da reclamação e começamos a enxergar o todo que já está disponível para nós. É desse modo que passamos a nos dar conta de que o todo é muito maior e melhor do que aquilo que nos irrita e entristece, portanto, temos que escolher: ou focaremos no que nos irrita e nos falta, ou podemos olhar para o todo e ser gratos a Deus por aquilo que já temos, pelo que já vivemos, por tudo que já está disponível para nós, e pelas razões de sobra que há para levantar as mãos para o céu e agradecer profundamente.

Tem coisas na vida que a gente só descobre quanto vale depois que perde. Digo isso porque, enquanto temos, às vezes, só reclamamos. Analise a sua própria vida neste momento: do que você tem reclamado? Do seu trabalho? Da comida que tem para o jantar? De usar sempre as mesmas roupas? Você reclama do dia que chove ou do que faz sol demais? Reclama do carro que não é tão novo quanto gostaria? Do que você tem

... ou focamos no que nos irrita e nos falta, ou podemos olhar para o todo e ser gratos a Deus por aquilo que já temos, pelo que já vivemos, por tudo que já está disponível para nós, e pelas razões de sobra que há para levantar as mãos para o céu e agradecer profundamente.

murmurado ultimamente? Acredite: possivelmente, você está sendo muito injusto ao reclamar, afinal, sem dúvida, tem um milhão de motivos para agradecer, mas escolheu supervalorizar aquilo que o incomoda ou o que sente falta.

A vida é, sim, boa. Temos tantas razões para agradecer ao Senhor, e não podemos permitir que nosso coração seja contaminado pela ingratidão e pela cegueira. Faça este exercício diariamente: procure olhar o todo em vez de pequenos pedaços. Você está enfrentando problemas com o seu chefe e tem reclamado dele? Por que não se distancia do pontinho preto, olha o todo e tenta perceber que ele é uma pessoa como você e pode estar passando por complicações também? Por que não escolher focar nos benefícios? Já parou para pensar que muitos gostariam de ter um emprego e receber um salário certinho todo mês? Afaste-se da parede. Não foque no pontinho preto, atente-se à parede inteira.

Você está reclamando dos seus filhos? Já lhe ocorreu que muitas pessoas sonham em gerar e não conseguem, e você já tem descendentes? Note a benção que você tem em casa. Muitos gostariam, mas não podem tê-la. Você está murmurando do carro que sempre dá problema? Afaste-se um pouquinho e repare à sua volta. Alguns nem bicicleta têm, enquanto você tem um veículo para se incomodar, então, comece a agradecer a Deus, pois você já tem mais do que muita gente.

Está reclamando que sua casa só tem dois quartos? Inúmeras pessoas não têm nem um teto sobre suas cabeças. Está murmurando da música alta que passou ao seu lado na rua? Agradeça a Deus, pois alguns nasceram surdos e nunca ouviram sequer o som de um passarinho. Você tem olhos para ver, agradeça ao Senhor, porque certas pessoas nasceram cegas e talvez nunca possam enxergar o mesmo que você.

Pare de reclamar. Se você murmura porque está sol e esquentou demais, reclama da chuva porque ela é inconveniente e estraga o cabelo, murmura porque aconteceu um imprevisto, porque está sempre cansado, porque as coisas saíram do controle ou reclama de tudo o tempo inteiro, afaste-se da parede. O dia em que chove abastece os reservatórios de água e beneficia o agricultor no campo. A ocasião em que faz calor e o sol aparece é uma alegria para o vendedor de picolé na praia. Aquilo que nos incomoda e é motivo de reclamação pode ser a bênção da vida de alguém. Afaste-se do pontinho e comece a ver a vida como um todo. Temos mais motivos para agradecer do que para reclamar, portanto, pare de ser ingrato e valorize aquilo que Deus já deu a você.

Desafio

Faça um propósito com o Senhor de não reclamar durante um mês inteiro e, ao longo do mesmo período, se comprometa a orar agradecendo por, pelo menos, dois motivos diferentes todos os dias. Peça a ajuda do Espírito Santo nessa empreitada e anote diariamente os resultados e agradecimentos em um caderno.

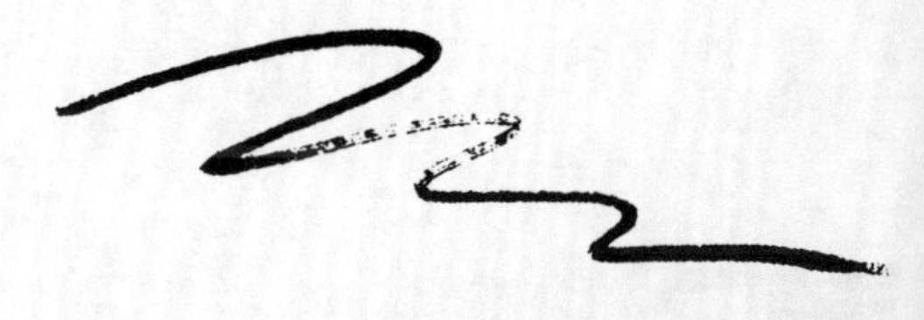

5

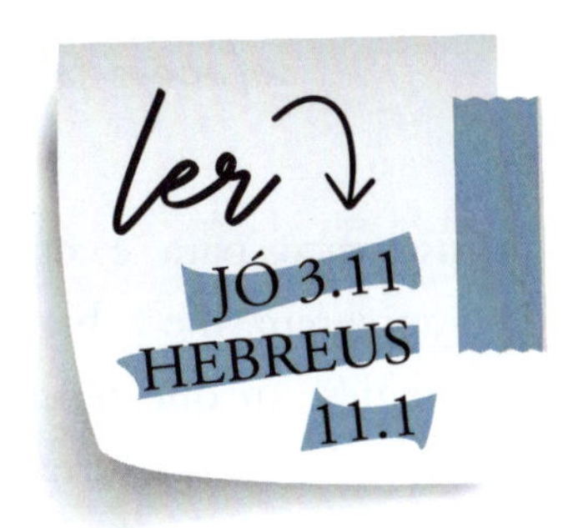

dia cinco

E QUANDO NÃO CONSIGO MAIS TER FÉ?

A BIOGRAFIA DE JÓ é uma aula para nós. Ele, um homem temente a Deus, de uma hora para outra, se vê sem nada além de sua própria vida. Perdeu filhos, esposa, propriedades, bens, servos, riquezas, animais, saúde e, ainda assim, ao receber as primeiras notícias acerca das perdas drásticas que havia sofrido, Jó lançou-se em terra e adorou ao Senhor, dizendo: " 'Nu saí do ventre de minha mãe e nu tornarei para lá; o SENHOR o deu e o SENHOR o tomou; bendito seja o nome do SENHOR'. Em tudo isto Jó não pecou, nem atribuiu a Deus falta alguma" (Jó 1.21,22, ARC).

A Bíblia avança e nos conta que, após inúmeras perdas, Satanás o feriu com úlceras malignas, desde a planta do pé até ao alto da cabeça, fazendo que o homem de Deus tivesse que usar cacos para se coçar. Sua esposa e seus amigos, em vez de o apoiarem, lhe cobravam, acusavam e diziam as maiores atrocidades. Até que, no capítulo três, imagino que totalmente sugado, devastado e surrado em seu emocional e corpo físico, Jó desabafa a ponto de dizer que preferia ter morrido antes de nascer ou logo que saísse do ventre de sua mãe, pois, assim, segundo ele, dormiria e haveria repouso para sua alma e corpo.

Jó, como alguns de nós, chegou ao ápice do enfraquecimento — quando somos tomados por uma sensação de que apanhamos tanto que não gostaríamos nem de ter vivido. O mais confrontador, contudo, é que, apesar de ter passado pelas piores perdas, dores e sofrimentos, Jó nunca perdeu a fé em Deus. Nessas horas, muitas pessoas desistem, alegando não ter mais forças, não enxergam esperança alguma ou não têm mais fé para acreditar em nada. Dizem não conseguir mais crer que existe um Deus no céu que se importa, não acreditam em milagres, nas histórias bíblicas nem que Jesus realmente existiu.

E é possível mesmo perdermos a fé. Na realidade, podemos perder a fé em tudo: no ser humano, na política, na bondade, na medicina, no casamento e, inclusive, em nós mesmos. Mas a pior coisa do mundo é quando perdemos a fé em Deus, porque ele sempre será a primeira e a última instância a que recorremos, e, se permitimos que o nosso coração se contamine, aos poucos, vamos definhando por conta da desesperança e do desânimo.

Sempre achei curiosa a maneira como os ateus explicam a fé cristã, pois eles dizem que a razão de ela existir é porque precisamos de uma esperança. Mas a pergunta que fica é: e quem não precisa? Não tem um ser humano sequer que não necessite de esperança. A questão é: esperança no quê? Porque a ciência, por exemplo, é limitada e falha. A medicina é finita.

A tecnologia não pode resolver nossos problemas, assim como a política, a educação e o dinheiro também não. Por outro lado, a esperança dos cristãos é diferente, pois o Deus em que cremos não tem limites. Ele não tem um começo nem um fim, e enquanto tudo nos aponta para a morte, para o desespero e para a desesperança, ele nos traz vida, renova a nossa perspectiva, nos faz florescer e cria uma saída onde não havia.

O nosso Deus é especialista em impossíveis. Nenhum caso é perdido para ele. O problema é pensarmos que o Senhor precisa atender às nossas vontades, do contrário, ele não pode ser bom. Algumas pessoas deixam de crer porque Deus não agiu conforme a sua expectativa e desejo. Outros deixam de ter fé por terem sido feridos por alguém da igreja ou familiares que deveriam tê-los protegido e amado dentro de casa, por exemplo. Todos nós estamos sujeitos a decepções e experiências ruins, mas, acredite, não será você que responderá por esses atos; essas pessoas receberão de acordo com o que plantaram. Nosso papel não é tentar puni-las ou fadar nossos dias à angústia e decepção pelo que nos causaram. É por isso que nossos olhos não podem estar em seres humanos. Eles devem estar em Cristo, autor e consumador da nossa fé.

Nossa responsabilidade é entregarmos tudo aos pés da cruz e pedirmos que o Espírito Santo mude a nossa perspectiva e nos encha de esperança e fé, afinal, sem ambos, o que teremos então?

Não cremos porque isso nos traz uma falsa sensação de conforto ou alívio das aflições que vivemos neste mundo. Cremos, pois precisamos crer. Cremos, porque crer faz a diferença.

A história de Jó, Jairo e sua filha, Sara, José, Daniel, Sadraque, Mesaque e Abede-Nego, Estêvão, a mulher do fluxo de sangue e tantos outros nos mostram que, nos cenários mais caóticos, aparentemente sem saídas e em que temos mais dificuldades para crer, são justamente os momentos em que faz todo sentido crer. Digo isso porque Deus não atende apenas necessidade, ele atende fé.

As Escrituras nos garantem que sem fé é impossível agradar a Deus, que é preciso que quem se aproxima dele creia em sua existência e que ele recompensa aqueles que o buscam (cf. Hebreus 11.6). Ter fé não apenas da boca para fora, quando tudo está dando certo ou estamos felizes, mas continuar acreditando e confiando no Senhor, mesmo nos instantes em que o mundo está caindo ao nosso redor e não sabemos o que fazer. Ter fé de que crer não significa acontecer o que queremos, mas que o Senhor ouviu as nossas orações e sabe o que é melhor.

Eu me lembro de uma vez em que estava saindo da igreja, há muitos anos, e encontrei uma irmã com muita dor de dente, que estava a caminho do hospital. No ímpeto de querer orar por todos que estavam doentes, lhe perguntei se primeiro poderia fazer uma oração. Se ela fosse curada, não teria que ir ao pronto-socorro. Apaixonado e cheio de fé, fiz uma oração fervorosa e, para a minha surpresa, ao lhe questionar sobre a cura, não havia acontecido absolutamente nada. Aquela mulher não foi curada. Entretanto, ainda assim, eu continuei crendo, porque não vivo pelo que meus olhos veem, vivo pela fé. Deus continua no controle. Ele sabe o que é melhor. Crer não significa que entraremos em uma dimensão mágica em que tudo dará certo. Ter fé quer dizer que podemos ficar inabaláveis diante dos obstáculos, porque a natureza de Deus jamais mudará.

Por outro lado, eu me recordo de uma experiência linda que tive em minha casa, certa vez. Já fazia alguns dias que um dos meus filhos estava com uma virose muito forte. Ele tinha vomitado muito, estava fraco, abatido e não conseguia comer. Sem podermos procrastinar mais, minha esposa, Paulinha, e eu nos sentamos com ele no sofá e lhe dissemos que ele teria de ir ao hospital tomar soro e alguns remédios na veia. Não demorou muito para que ele começasse a chorar e dissesse que não queria ir por conta da dor causada pelas agulhas. Com o coração partido ao vê-lo naquele estado, olhei no fundo dos seus olhos, tentando conter minhas emoções, e lhe disse: "Filho, olhe para o papai. Antes de irmos para o hospital, vamos orar, e, se o Papai do céu curar você, não precisaremos mais ir ao hospital". Imediatamente, meu filho abaixou a cabeça, colocou a mãozinha no coração e orou: "Papai do céu, cura eu". Ao presenciar aquela cena, com frio no estômago, orei internamente, clamando para que o Senhor usasse aquela oportunidade para se revelar ao meu filho. Na mesma hora, assim que abrimos os olhos, o meu menino estava curado. A cor havia voltado para o seu pequeno rostinho, ele comeu e foi brincar como se nada tivesse acontecido.

Crer faz diferença.

Crer faz a diferença. Escolher ter fé é a única possibilidade que nos habilita a viver milagres formidáveis e incomuns com o Senhor. Se não crermos, não viveremos. Isso não significa que sempre acontecerá conforme esperamos; a fé, porém, abre espaço para o sobrenatural de Deus ocorrer e mudar a nossa história. Dessa forma, à medida que andamos com o Senhor e passamos a conhecer o seu caráter, as nossas expectativas ou os resultados das nossas orações não influenciam mais a nossa visão acerca dele.

Portanto, passe por cima das suas más experiências. Se algum dia você se entristeceu com Deus, peça perdão e volte para ele novamente. O Senhor nunca nos dá pedra ao lhe pedirmos pão. Em contrapartida, ele sabe o que é melhor em cada situação — ainda que tenhamos uma opinião diferente. Da mesma maneira, se alguém na igreja o feriu, perdoe e passe por cima disso. Se alguma pessoa o frustrou ou lhe causou danos, deixe para trás, perdoe, e olhe para o Eterno. Permita que ele purifique, sare e encha o seu coração de esperança. Volte a crer.

Oro para que, mais do que terminar este devocional inspirado, você possa colecionar as suas próprias histórias e experiências com Deus, a ponto de não se importar com a resposta que receber dele sobre as questões levadas em oração. Blinde o seu coração contra mentiras e frustrações erradas.

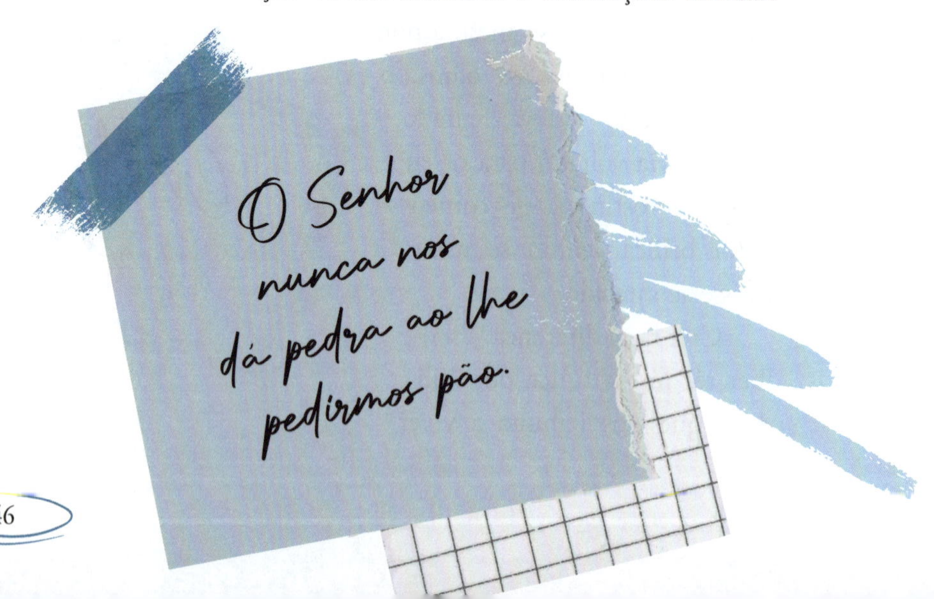

Somos responsáveis pelo que permitimos entrar na nossa vida. O Senhor continua sendo exatamente quem é, apesar dos nossos sentimentos, das situações ruins, das doenças, dos traumas e das fatalidades em escala global. Se Deus não fizer, ele continua sendo Deus da mesma forma. Eu permanecerei amando, temendo, adorando e crendo nele, ainda que nada aconteça conforme imaginei, porque o Senhor está acima de qualquer suspeita. Se ele prometeu, irá cumprir, mas se não prometeu, não temos razão para supor que o Senhor deveria fazer o que desejamos. Você já parou para pensar que muitos heróis da fé não alcançaram o cumprimento das promessas? A Bíblia diz:

> "Que mais direi? Não tenho tempo para falar de Gideão, Baraque, Sansão, Jefté, Davi, Samuel e os profetas, os quais pela fé conquistaram reinos, praticaram a justiça, alcançaram o cumprimento de promessas, fecharam a boca de leões, apagaram o poder do fogo e escaparam do fio da espada; da fraqueza tiraram força, tornaram-se poderosos na batalha e puseram em fuga exércitos estrangeiros. Houve mulheres que, pela ressurreição, tiveram de volta os seus mortos. Uns foram torturados e recusaram ser libertados, para poderem alcançar uma ressurreição superior; outros enfrentaram zombaria e açoites; outros ainda foram acorrentados e colocados na prisão, apedrejados, serrados ao meio, postos à prova, mortos ao fio da espada. Andaram errantes, vestidos de pele de ovelhas e de cabras, necessitados, afligidos e maltratados. O mundo não era digno deles. Vagaram pelos desertos e montes, pelas cavernas e grutas. Todos esses receberam bom testemunho por meio da fé; no entanto, nenhum deles recebeu o que havia sido prometido. Deus havia planejado algo melhor para nós, para que conosco fossem eles aperfeiçoados" (Hebreus 11.32-40, NVI).

Não nascemos nesta terra para ter uma vida livre de infelicidades e recheada de prazeres. Somos testemunhas do poder da obra redentora de Cristo e embaixadores do céu aqui. Nosso destino é sermos odiados pelo mundo, e não amados por ele. Os heróis da fé entenderam essa condição e escolheram crer, ainda que não fossem capazes de ver a concretização das promessas pelas quais tanto lutaram, se doaram e acreditaram. Assim como eles, eu também escolho crer, e convido você, hoje, a fazer o mesmo; pois, assim como a Palavra nos garante, é justamente a fé que nos levará a agradar a Deus.

Oração

Senhor Jesus, muito obrigado por acreditar em mim, ainda que, muitas vezes, eu não tenha acreditado no Senhor. Peço, por favor, que me perdoe por duvidar e me entristecer contigo. Oro para que me lave com o teu sangue, me mostre os teus caminhos, e me ensine a ter fé. Derrame mais sabedoria e esperança no meu coração, para que eu seja capaz de levá-las a outros também. Clamo por experiências novas e maravilhosas contigo, e declaro, hoje, que eu abro espaço para que a tua presença me transforme por inteiro.

Jesus, eu creio em ti! Deus, tu és o meu amado, a minha proteção, a minha provisão, o meu sustento e a minha esperança, e não importa o cenário, o Senhor sempre estará acima de qualquer suspeita. Mesmo não vendo, eu escolho crer!

Eu te amo, Jesus! E em teu nome eu oro, amém!

6

dia seis

ACEITE QUE DÓI MENOS

"COMBATI O BOM COMBATE, acabei a carreira, guardei a fé". Esta declaração, escrita pelo apóstolo Paulo a Timóteo, seu filho na fé, denuncia mais do que apenas uma frase de efeito para inspirar o coração de seu liderado ou de quaisquer outros que lessem aquela carta. O apóstolo havia sido comissionado por Deus para evangelizar o mundo, plantar igrejas, treinar líderes, discipulá-los, e, por esse motivo, foi expulso de várias cidades, apedrejado, perseguido, açoitado, preso, correu risco de morte ao sofrer três naufrágios, e foi acusado injustamente; além disso,

> em viagens, muitas vezes; em perigos de rios, em perigos de salteadores, em perigos dos da minha nação, em perigos dos gentios, em perigos na cidade, em perigos no deserto, em

> perigos no mar, em perigos entre os falsos irmãos; em trabalhos e fadiga, em vigílias, muitas vezes, em fome e sede, em jejum, muitas vezes, em frio e nudez (cf. 2Coríntios 11.26,27, ACF).

Eis aí um homem que, de fato, sofreu por amor a Cristo, perseverou na fé e cumpriu o seu propósito estabelecido pelo Pai. Assim, em 2Timóteo, o apóstolo, no fim de sua carreira, instruiu o jovem discípulo a dar continuidade no ministério e plano divino. Dentre os seus conselhos, algo subjetivamente mencionado me chama a atenção todas as vezes que leio esta carta paulina: apesar das alegrias, da satisfação eterna e do privilégio de servir a Cristo, Paulo garantiu a Timóteo que ele iria se decepcionar. Não à toa, o apóstolo dos gentios disse ao seu pupilo:

> "Procura vir ter comigo depressa, porque Demas me desamparou, amando o presente século, e foi para Tessalônica, Crescente para a Galácia, Tito para a Dalmácia. Só Lucas está comigo [...]. Alexandre, o latoeiro, causou-me muitos males; o Senhor lhe pague segundo as suas obras. Tu, guarda-te também dele, porque resistiu muito às nossas palavras. Ninguém me assistiu na minha primeira defesa; antes, todos me desampararam. Que isto lhes não seja imputado. Mas o Senhor assistiu-me e fortaleceu-me, para que por mim fosse cumprida a pregação, e todos os gentios a ouvissem; e fiquei livre da boca do leão. E o Senhor me livrará de toda a má obra, e guardar-me-á para o seu reino celestial; a quem seja glória para todo o sempre. Amém!" (2Timóteo 4.9-11, 14-18, ARC).

Paulo foi abandonado, humilhado, traído, criticado e decepcionado ao longo de sua jornada. E em nossa vida não é diferente. Todos somos rejeitados, frustrados, escarnecidos, perseguidos, esquecidos, descreditados e decepcionados em algum instante. É em razão disso que o apóstolo alertou seu discípulo para que se afastasse de certas pessoas, guardando o seu coração. Imagino aquele rapaz vibrante, cheio de força e expectativa, sendo aconselhado por seu mestre: "Timóteo, não permita que desprezem a sua mocidade. Você tem força, ânimo, mas precisa saber de uma coisa... você vai ser decepcionado e deixado de lado por pessoas que deveriam estar contigo até o final. Não permita que isso destrua a sua fé e acabe com a sua carreira. Portanto, alinhe seu coração e suas expectativas, porque, certamente, é questão de tempo até isso acontecer".

Entenda que é necessário perdoar para seguir em frente!

Eu já fui abandonado por gente que pensei que permaneceria ao meu lado pelo resto da vida. Tive amigos que eram extremamente próximos. Nós chorávamos e ríamos juntos, fazíamos planos para o futuro, orávamos a Deus, semeávamos e esperávamos em unidade, mas, em algum momento da caminhada, eles me decepcionaram e abandonaram.

Com o passar do tempo, entendi a necessidade de perdoar para seguir em frente. A Bíblia diz:

> E, quando estiverdes orando, perdoai, se tendes alguma coisa contra alguém, para que vosso Pai, que está nos céus, vos perdoe as vossas ofensas. Mas, se vós não perdoardes, também vosso Pai, que está nos céus, vos não perdoará as vossas ofensas (Marcos 11.25,26, ARC).

Algumas pessoas nos decepcionam; por outro lado, seria hipocrisia alegarmos que não fazemos o mesmo com os outros. Ninguém está imune ao erro e à necessidade de perdão, graça e compaixão. É por isso que todos precisamos aprender a perdoar e a pedir perdão durante a trajetória.

Seja por inveja, imaturidade, orgulho ou quaisquer motivos, muitos acabam perdendo a oportunidade de abençoar e preferem se tornar uma decepção em vez de pedir perdão, perdoar, celebrar, se alegrar, orar e vibrar verdadeiramente pelos que estão ao seu redor. Desejamos que as pessoas sejam abençoadas, mas não mais do que nós. Queremos que Fulano tenha um bom carro, contanto que não seja mais novo que o nosso. Oramos para que Sicrano tenha uma boa casa e um excelente salário, desde que não sejam melhores que o que temos. Este é um coração e caráter que não amadureceram, que não passaram pelo fogo purificador de Deus, que limpa e transforma.

Cada um tem a sua história, a sua jornada e o seu propósito específico.

Na vida, não somos competidores uns dos outros. Cada um tem a sua própria história, a sua própria jornada e o seu propósito específico. Você não compete comigo e eu não estou competindo contigo, porque o meu propósito é o que importa para mim, e o seu propósito é o que deve importar para você. Em contrapartida, é sempre fundamental nos lembrarmos que não fomos criados para fazer nada sozinhos. O cristianismo não admite carreira solo. Tudo o que fazemos precisa reverberar e desaguar na vida de outras pessoas. Deus não nos abençoa como um fim em si mesmo. O Senhor derrama bênçãos sobre nós para que abençoemos outros.

O dia em que Deus me deu voz na *internet* para pregar o evangelho, é evidente que ele me abençoou. Isso, porém, não é para mim mesmo, senão para abençoar as milhões de pessoas que ouvem, hoje, uma palavra de Deus e, muitas vezes, são respondidas, consoladas, confrontadas e amadas pelo Eterno por meio do propósito e da voz que ele me concedeu. Sou apenas um porta-voz da mensagem e da essência que vêm dele. E eu serei cobrado por Deus por tudo aquilo que fiz com o que ele colocou em minhas mãos, assim como você. É por isso que todos necessitamos de sobriedade para cumprir o chamado do Senhor em nossa vida. Tudo é dele, por ele e para ele. A mensagem, a capacitação, a influência, os dons, as conexões, os recursos, as ideias, a saúde, as estratégias e as bênçãos vêm do nosso Deus, para que cumpramos finalidades específicas, e não para que tudo isso fique retido em nós.

Não se trata de mim ou de você, mas de nós, juntos, como corpo de Cristo. A passagem de 1Coríntios nos revela:

> Porque, assim como o corpo é um e tem muitos membros, e todos os membros, sendo muitos, constituem um só corpo, assim também com respeito a Cristo. [...] Porque também o corpo não é um só membro, mas muitos. Se disser o pé: Porque não sou mão, não sou do corpo; nem por isso deixa de ser do corpo. Se o ouvido disser: Porque não sou olho, não sou

> do corpo; nem por isso deixa de o ser. Se todo o corpo fosse olho, onde estaria o ouvido? Se todo [o corpo] fosse ouvido, onde, [estaria] o olfato? Mas Deus dispôs os membros, colocando cada um deles no corpo, como lhe aprouve. Se todos, porém, fossem um só membro, onde estaria o corpo? O certo é que há muitos membros, mas um só corpo. Não podem os olhos dizer à mão: Não precisamos de ti; nem ainda a cabeça, aos pés: Não preciso de vós. Pelo contrário, os membros do corpo que parecem ser mais fracos são necessários; e os que nos parecem menos dignos no corpo, a estes damos muito maior honra [...] (1Coríntios 12.12,14-23, ARA).

Precisamos aprender a valorizar e celebrar as bênçãos, os dons e particularidades divinas na vida das outras pessoas. Todos temos espaço para ocupar um lugar especial no Reino de Deus. Cabe a nós buscar no Senhor nossa identidade e crescer em maturidade e no caráter de Cristo constantemente ao longo de nossa carreira nesta terra. A maturidade, somada ao caráter de Cristo, tem o poder de transformar a nossa perspectiva em relação ao outro, nos aperfeiçoar, fazer que fiquemos mais parecidos com ele, e, quanto mais nos tornamos semelhantes a Deus, mais somos capazes de guardar o nosso coração, estender graça, ter compaixão pelas pessoas, e cultivar sabedoria para compreender com quem devemos nos relacionar.

A decepção faz parte da caminhada. O importante, contudo, é o que fazemos com as ofensas que colecionamos pelo trajeto. Será que revidamos e guardamos rancor como uma forma de punir nossos agressores? Será que temos ferido e decepcionado os que estão ao nosso redor e nos isentado da responsabilidade? Será que, por acaso, temos aprisionado e sufocado o perdão? Será que estamos mais parecidos com Cristo ou com o mundo? Será que temos sido os amigos que desejamos ter ou temos decepcionado e abandonado os que andam conosco?

Ninguém é perfeito, mas esse argumento não pode ser desculpa para não desenvolvermos o caráter de Cristo. Com sua vida, Jesus nos ensinou a única maneira de viver e agradar ao Pai. É por isso que, mesmo que não atinjamos a perfeição nesta terra, nunca devemos parar de lutar pela santificação dia após dia. Somente dessa maneira, assumiremos com mais inteireza a nossa real identidade e seremos capazes de responder a este mundo da mesma forma que Cristo fazia. A lealdade, o perdão, a paciência, a bondade, o amor, a alegria, a verdade e todas as virtudes que valorizamos são fruto da ação divina de santificação em nossa vida, e parte, evidentemente, do caráter de Jesus.

Tenha isto como meta!

Assuma sua real identidade e seja capaz de responder a este mundo da mesma forma que Cristo fazia.

A verdade é que, no fundo, não podemos controlar as reações alheias ou responder pelas pessoas, mas podemos e devemos nos responsabilizar por nós mesmos. Sim, seremos decepcionados pelo caminho, porém, somos capazes, hoje, de escolher não decepcionar os outros, ainda que tenham nos ferido. Este poder está em suas mãos. Decida amar. Escolha perdoar, ter compaixão e dar o seu melhor aos que estão por perto. Se, porventura, você errar, seja humilde e peça perdão. E se, em algum momento, o decepcionarem, não tente fazer justiça por si mesmo; assim como Paulo, entregue tudo a Deus, pois ele não só é justo, como nunca decepciona.

Passos práticos

1. Ore e peça ao Espírito Santo que mostre se você decepcionou alguém. Em caso afirmativo, peça perdão ao Senhor e, se for alguém próximo, ligue ou marque um encontro para pedir perdão para essa pessoa.
2. Agora, clame para que Deus lhe revele se há alguém que você precisa perdoar. O perdão não é um sentimento, mas uma escolha. Por isso, se sim, ore em voz alta: "Senhor, eu libero a vida do [fale o nome da pessoa] agora e perdoo todo o mal que ele(a) me causou. Por favor, me ensine a ter compaixão e amá-lo(a) como o Senhor ama. Em nome de Jesus, amém!". Continue fazendo essa oração diariamente, até que seja capaz de abençoar essa pessoa genuinamente. [*Lembre-se: perdoar alguém não significa que você precisa ter um relacionamento com essa pessoa*].
3. Faça uma lista com os cinco principais pontos que necessitam ser mudados em seu caráter. Com a ajuda do Espírito Santo, escreva em um caderno as atitudes que você pode colocar em prática hoje para dar início a essa transformação.

7

dia sete

PROBLEMA É FEITO PARA RESOLVER

HÁ UMA DIFERENÇA MUITO grande entre inteligência e sabedoria. Tem gente que acha que é a mesma coisa, mas não é. A inteligência, geralmente, é adquirida por meio do conhecimento, leituras, aulas, debates e todo tipo de estudo e estímulo à vida intelectual. Então, quanto mais se aprende e se dedica, mais inteligente acaba se tornando. A sabedoria, por outro lado, se trata de uma capacidade de distinguir valores, se orientar na vida cotidiana e escolher corretamente com base em princípios imutáveis.

Isso quer dizer que alguém pode ser extremamente inteligente e nem um pouco sábio, assim como um sábio pode não ter tanta inteligência. De igual modo, um ser humano também é capaz de ser tanto um quanto o outro. Contudo, apesar de uma pessoa que tem sabedoria muito provavelmente acabar buscando a inteligência, o contrário não necessariamente é verdade.

Você já conheceu alguém muito inteligente, mas que não sabia a hora certa de falar? Ou que não sabia a forma correta de tratar as pessoas? Já se deparou com gente muito estudada, com diplomas, renome e até dinheiro, mas que se achava melhor que os outros? Ou alguém que não estudou, não tinha diploma nem renome ou dinheiro, mas que também se achava superior às outras pessoas? Por acaso, conheceu alguém que sabia conversar sobre quase tudo e, ainda assim, não era capaz de resolver seus próprios problemas?

Verdade seja dita: não passam de pessoas inteligentes — ou nem isso —, pois, se fossem sábias, usariam a inteligência a favor do outro e de sua própria vida, e nunca de modo egoísta e orgulhoso. Digo isso porque, apesar de a sabedoria ter muitas maneiras de se manifestar, uma delas, com certeza, é a habilidade de nos ensinar a resolver conflitos. Ela nos freia e equilibra como seres humanos, e é por essa razão que aquele que tem sabedoria para resolver problemas nunca é paralisado, já que o conflito, por pior que seja, sempre acaba se tornando apenas mais um degrau para um próximo nível de sua caminhada. A crise, nesses casos, não é sinônimo de destruição ou "fim da linha", mas uma oportunidade para viver novas experiências com Deus e se reinventar.

As mesmas crises que destruíram inúmeras empresas foram as que fortaleceram diversas outras; pois, enquanto umas usaram o vento a seu favor, outras preferiram focar tanto no que estava dando errado que não foram capazes de enxergar além da turbulência; por isso, faliram. Na vida, não basta ter inteligência e saber a teoria, necessitamos de sabedoria para resolver conflitos e agir corretamente na prática.

> Todos os problemas que caem em nosso colo têm algo em comum: solução!

Do cristão ao ateu, do rico ao pobre, do ocidental ao oriental, todo ser humano tem problemas para resolver e precisa de sabedoria e inteligência. Repare nos homens e mulheres de Deus na Bíblia: Maria, Moisés, Ester, José, Raabe, Neemias, Noé, todos eles tiveram o que, aparentemente, chamaríamos de "grandes problemas" para resolver. Pense em Noé. Aquele homem recebeu a incumbência de Deus para construir, com as próprias mãos e sem a ajuda de máquinas ou quaisquer outras tecnologias, uma embarcação colossal com um projeto, medidas e materiais preestabelecidos e específicos. Isso — você há de concordar comigo — é o que eu chamo de um grande problema para resolver. Noé não precisava de uma complicação a mais em sua vida e, certamente, poderia ter escolhido não levar aquela missão a cabo. Todavia, solucionar aquele problema garantiria vida longa a ele e à sua família, e um *start* para uma nova geração. Em outras palavras, isso significa que todos os problemas que caem em nosso colo têm algo em comum: solução.

A solução é sempre a coroa do problema, e precisa ser mais importante e valiosa do que a dificuldade em si. É a recompensa no fim que nos motiva a realizar e resolver os obstáculos que se apresentam a nós. E se pararmos para pensar: toda missão e todo propósito que Deus nos entrega são nada mais que um aparente problema a ser resolvido. Dessa forma, enquanto nos articulamos para solucioná-los — com nossos olhos fixos nas recompensas —, somos profundamente transformados. A nossa perspectiva, a nossa capacidade de enxergar as situações e pessoas de maneira diferente, a nossa resiliência de suportar sem quebrar, de sofrer e chorar sem desistir ou nos entregar, e de vencer as adversidades são completamente alteradas quando encaramos as provações; e, nisso, não apenas somos aprovados por Deus como também nos tornamos mais fortes.

É triste como hoje em dia romantizamos as fraquezas. É claro que ser humano nenhum está imune à dor, à vulnerabilidade e à fraqueza, mas, em vez de focarmos na força e na resolução das dificuldades, temos criado uma geração fraca, que não sabe lidar com conflitos e não foi preparada para encarar frustrações.

Eu comecei a trabalhar com treze anos de idade. Seria mentira se dissesse que eu gostava. Mas a vida é assim mesmo: não fazemos somente o que gostamos ou aquilo que nos dá prazer. Naquela época, tinha que pedalar sete quilômetros para ir e mais sete para voltar do trabalho, e eu não tinha juízo; não à toa, empinava a bicicleta o caminho inteiro. Contudo, por mais novo e imaturo que eu fosse, aquilo começou a gerar responsabilidade em mim. Eu me lembro de comprar

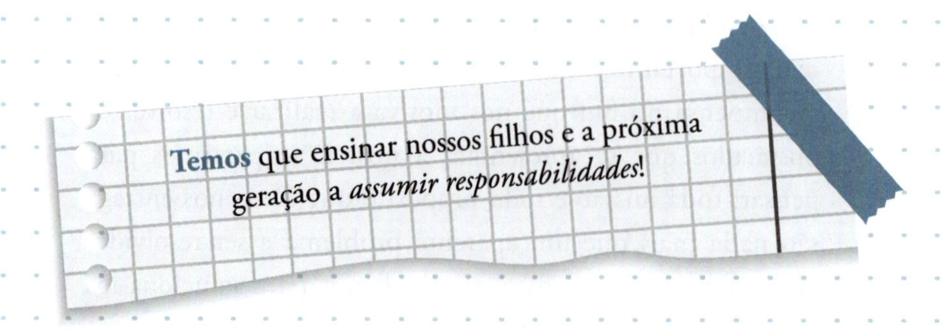

o meu primeiro tênis de marca com aquele salário. Ele custou R$125,00, valor que eu parcelei em cinco vezes. Quando assumi aquela responsabilidade de pagar as parcelas, contraí um problema para mim, e isso me fez trabalhar ainda mais para quitar aquela dívida. Da mesma maneira, conforme amadurecemos, percebemos que alguns problemas na vida são inevitáveis e precisamos assumir a responsabilidade. Mas isso não pode parar em nós. Temos que ensinar nossos filhos e a próxima geração a assumir responsabilidades, enfrentar os conflitos de peito aberto e lidar com as frustrações e com os nãos que receberão ao longo da vida.

Seja por medo, excesso de zelo ou despreparo, muitos pais têm protegido demais seus filhos sem se darem conta de que tudo o que eles mesmos viveram até aqui foi justamente aquilo que os formou como pessoas boas e fortes. Ninguém quer sofrer ou ter que passar por situações duras, mas elas fazem parte do processo e, se soubermos aproveitá-las a nosso favor, terminaremos mais resilientes, perseverantes e fortes.

Um problema pode ser mais ou menos complexo dependendo de quem o encarar. Algumas pessoas têm mais dificuldade com certos desafios, enquanto outras podem enfrentá-los de maneira simples. A dificuldade pode até ser subjetiva, de pessoa para pessoa, mas a natureza da resolução precisa ser objetiva. Tudo depende da nossa atitude, perspectiva e resistência, e da medida de consciência que temos em relação ao nosso propósito e identidade. Necessitamos aprender a olhar para a frente, encarar os problemas com coragem e crer que o Deus a quem servimos é maior do que os nossos problemas e do que aquele que está no mundo. Não podemos desistir só porque a provação parece grande demais. Precisamos de sabedoria e da ação do Espírito Santo para enxergar os problemas pela perspectiva de Deus; a nossa ótica tem que ser a ótica do Pai. Nunca se esqueça: problemas foram feitos para ser resolvidos.

Minha esposa e eu decidimos ensinar essa verdade valiosa para nossos filhos desde cedo. Quando o João e o Noah eram pequenos, o tempo todo criávamos "problemas" para que eles resolvessem, ainda que fossem novinhos. Decidimos que não

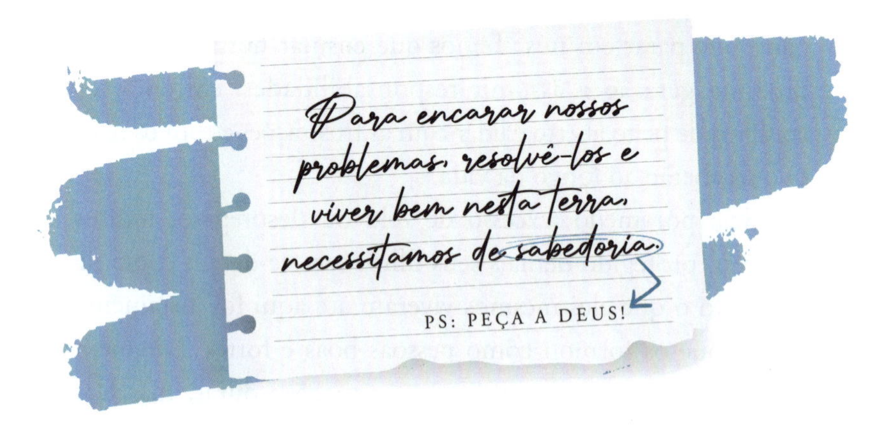

evitaríamos que a frustração batesse na porta deles, não os privaríamos dos "nãos" nem permitiríamos que um iPad ou iPhone educassem nossas crianças.

Já ouvi de tantos pais a estranha frase: "Ah, eu não quero que o meu filho passe pelo mesmo que eu passei". O ponto é que tudo o que passamos gerou o homem ou a mulher que somos agora, e, se o que nos tornamos é, de fato, alguém de valor, de caráter e de respeito, por que privaríamos os nossos filhos daquilo que experimentamos, sendo que esse foi justamente o combustível para nos tornarmos quem somos? Não se trata de reproduzir violência ou maus exemplos e, sim, de colocar em prática os valores corretos sem amputarmos ou tentarmos burlar aquilo que traz resiliência, bravura e força.

Os meus filhos são apaixonados pelos avós. Na verdade, qual neto não é? Se deixar, eles não só dormiriam, mas morariam na casa dos meus pais. E lá não tem muitas regras. A minha mãe fica o tempo inteiro atrás dos meninos, perguntando: "Queridos, querem comer alguma coisa?"; "Querem salgadinho? Bolacha?"; "Estão confortáveis?"; "Querem assistir a um desenho?". Na casa dos meus pais é como se tudo fosse um mar de rosas; só que a vida não é assim.

Certa vez, eu tinha acabado de chegar de uma viagem, e liguei para um dos meus filhos, que estava na casa dos avós havia dois dias, e lhe disse para voltar para casa. Ele se recusou e começou a chorar. A paz, a tranquilidade, a vida boa e todos os mimos dos avós fizeram que o meu filho não quisesse nem mesmo matar a saudade de mim, depois de tantos dias longe. Por ligação de vídeo, eu disse a ele para retornar, ainda que, no fundo, tivesse ficado com dó e soubesse a importância da presença e dos paparicos dos avós, em certa medida.

Contudo, em vez de ceder, senti que, naquele momento, o melhor para ele era voltar para casa, então, lhe disse: "Não, rapaz, seja homem, volte para casa que o papai está esperando você agora! Filho, o choro não é negociação com o pai, você sabe disso; ou você apresenta um bom argumento, ou vem para casa".

Nem sempre é fácil, mas, pela graça de Deus, minha esposa e eu criaremos filhos que, quando tiverem problemas, saberão como resolvê-los. As frustrações, as dores e os "nãos" os prepararão para solucionar os grandes problemas e enfrentar a vida, para se tornarem homens e mulheres fortes, assim como nós. Não me refiro a pessoas sem fraquezas — isso não existe —, mas a seres humanos que conhecem suas debilidades e capacidades, e escolhem mirar na força em vez de na fraqueza. E, para isso, precisamos de sabedoria.

Para criarmos nossos filhos, investimos na próxima geração; para sabermos como tratar as pessoas, nos tornamos homens e mulheres de valor, resilientes, fortes e cheios de Deus e não de banalidades superficiais; para encararmos nossos problemas, resolvê-los e vivermos bem nesta terra, necessitamos de sabedoria, e, se é disso que você tem falta, tudo o que tem que fazer é pedir.

Perguntas reflexivas

1. Você se considera uma pessoa sábia? Se sim, quais exemplos práticos pode citar para embasar sua resposta?
2. Como você tem resolvido seus problemas?
3. De que forma pode melhorar a sua capacidade de solucionar e encarar os problemas que chegam até você?

8

dia oito
ENQUANTO ISSO

ESPERAR É UMA TAREFA difícil para qualquer um. Exige muita paciência, perseverança e resiliência. Mas não é exclusividade de alguns. A espera é inerente à vida, seja a daqueles que jamais se renderam a Deus ou a de cada homem e mulher que já andou com ele. Geralmente, temos a tendência de lembrar de Abraão, Jacó e José como referências nesse assunto, mas, na realidade, esse é um processo que cristão nenhum foi capaz de burlar ou retardar. Pelo menos, não os cristãos sérios.

Sempre aprendo e sou muito confrontado ao ler as histórias dos heróis da fé e constatar como a espera não era desculpa para reclamações ou para atitude negativa, incrédula e pessimista. Do início ao fim das Escrituras, conhecemos biografias de superação, dor, alegria, sucesso e fracasso de pessoas comuns que fizeram história com Deus por serem perseverantes e fiéis até o final da vida. Ana, mãe do profeta Samuel, foi uma delas.

Gosto muito de pensar no fato de que aquela mulher, que já estava esperando por seu milagre há muito, muito tempo, não tinha garantia nenhuma de que ele iria se concretizar. Como você reagiria se descobrisse que uma das coisas que mais deseja no mundo talvez nunca se torne realidade? Será que você seria capaz de se submeter ao Senhor e confiar nele, apesar da resposta contrária, ou se voltaria contra ele e o culparia?

Ana era uma mulher que não tinha filhos. Ela era estéril e carregava duplamente a dor e a vergonha de desejar um filho que, talvez, jamais viria, e de fazer parte de uma sociedade em que não gerar era sinônimo de maldição ou inutilidade, uma vez que não seriam capazes de perpetuar a geração de seus maridos.

Entretanto, mesmo diante de um cenário triste e complexo como esse, a Bíblia nos mostra que Elcana, marido de Ana, era um bom homem, que não cobrava ou diminuía sua esposa por sua condição. Pelo contrário, ele a consolava e a amava. Elcana, contudo, tinha uma outra esposa chamada Penina, que era uma mulher desprezível. Penina já tinha filhos e humilhava Ana sempre que podia, justamente por ela não conseguir conceber.

Todos nós temos ou já tivemos uma Penina em nossa vida. Ela é aquela que dá indiretas na rede social ou no grupo da família. É aquela que tira sarro, fala mal, coloca para baixo, dissemina mentiras e fofocas e persegue sem que tenhamos feito nada. O ponto é que, quando estão

O milagre é apenas um meio para um fim: conhecer a Deus e fazê-lo conhecido.

passando por isso, muitas pessoas responsabilizam o Senhor por algo que é culpa das Peninas. Não era Deus que estava caçoando, perseguindo e humilhando Ana, era Penina. Mas vários de nós confundimos as coisas e atribuímos a Deus aquilo que é exclusivamente do homem.

Temos que aprender a separar as coisas, pois, quando estamos desequilibrados, temos a inclinação, inclusive, de desejarmos o milagre, não porque o queremos de verdade ou por sabermos que é a vontade de Deus para nós, mas porque desejamos esfregar na cara daqueles que nos humilham. Há milagres pelos quais choramos, clamamos e oramos, mas não pelo fato de precisarmos, e sim porque queremos impressionar alguém, mostrar que vencemos, que demos certo ou que somos abençoados. A grande questão, na verdade, não é o milagre em si, mas onde está o nosso coração nisso tudo. Deus jamais nos dará algo se, para isso, tiver que perder o nosso coração. É por isso que, muito provavelmente, não iremos receber promessa alguma, caso não estejamos alinhados corretamente com o seu coração.

O milagre não é o fim. Ele é apenas mais um meio de chegarmos ao fim, que é conhecer a Deus e fazê-lo conhecido nesta terra. Já parou para pensar que nenhum milagre é nosso, por mais que tenha sido prometido pelo Senhor? Nada é somente para nós. A história de Ana continua, e todos nós sabemos o seu final. Aquela mulher perseverou corajosamente e cheia de fé, e, imagino eu, que no instante em que, em seu coração, entregou o milagre de volta ao Senhor, sem se importar se o receberia ou não, ela recebeu favor do alto e gerou o profeta Samuel.

O curioso é que alguns podem pensar que esse era o fim daquele milagre e, evidentemente, o nascimento daquele homem de Deus foi mesmo uma benção. Mas o milagre não era apenas de Ana. Aquele também foi, em certa medida, o milagre de Davi, ao ser ungido rei por um dos maiores profetas de Israel. O milagre também foi da própria nação de Israel, que necessitava de um sacerdote íntegro e justo para substituir Eli e seus filhos indecentes.

De um lado, tínhamos a vontade de Deus, e do outro, uma mulher de joelhos que clamava para que a sua vontade fosse feita na terra. Mesmo diante de perseguições, injustiças e sofrimentos, ela não se deixou abalar e confiou no Deus que professava seguir. E não acabou por aí. Ana teve mais cinco filhos, além de Samuel. Esta é a matemática divina: Ana entregou um filho, mas recebeu mais cinco do Senhor. Nunca seremos capazes de dar mais a Deus do que ele nos dará.

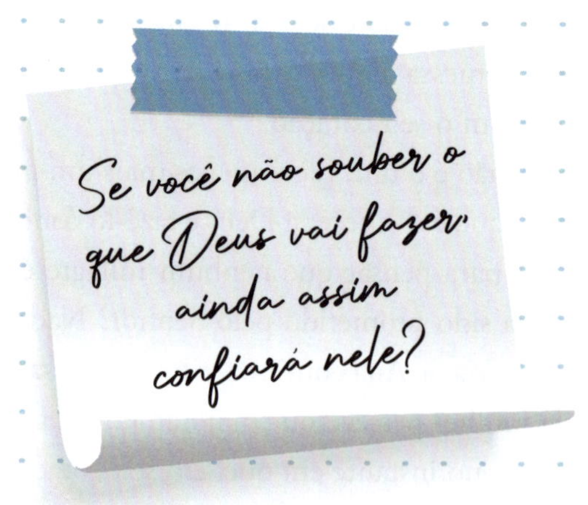

Não temos condições de pagar ou merecer os milagres, e é por esse motivo que as nossas expectativas e o nosso coração devem estar no Senhor e não neles. Deus não se esqueceu de você ou de mim. Ele não está ignorando a nossa dor ou cada oração que levantamos com fé. O Senhor não abandonou nem está castigando você. E, posso afirmar, com certeza, porque você, assim como eu, é um milagre. Você é o milagre de alguém que Deus não se esqueceu, de uma pessoa que ele não rejeitou e ouviu as orações. E, a partir de você, que é essa semente valiosa, possivelmente, nasceram outros milagres e ainda nascerão muitos outros. Enquanto houver compreensão, fé e temor de Deus, os milagres nunca irão parar através de nós.

O Senhor tinha um plano, e a vontade dele coincidia com a de Ana, sua serva. Mas ela teve que passar por um processo radical de entrega, perseverança e espera. No instante em que ela entendeu que aquele filho não seria somente para seu deleite, mas para algo maior do que a sua própria existência, ela recebeu o menino. À medida em que entregamos tudo ao Senhor e lhe damos glória por meio do que ele nos dá, estamos habilitados para receber mais dele. Não se trata do milagre, mas do nosso coração — afinal, o que poderia ser impossível para o nosso Deus?

Pare de culpar o Senhor. Ele não se esqueceu de você. Não existe nenhuma oração que você tenha feito que ele não tenha escutado. Deus também não está atrasado. Ele está trabalhando no tempo certo, pois ele, sim, sabe o instante exato em que cada coisa deve acontecer. Portanto, pare de reclamar e invista seu tempo em oração, sem a qual nada do que desejamos irá acontecer. Tenha fé, interceda, peça ajuda para pessoas sábias e tementes ao Senhor, seja firme, não dê lugar às mentiras diabólicas, e confie nele com todas as suas forças.

Lembre-se: Deus não nos dará algo apenas porque queremos. O fato de sonharmos e desejarmos alguma coisa não quer dizer que se tornará realidade ou que é o projeto de Deus para nós. Algumas metas não são planos divinos, e acabamos colocando tudo isso na presença de Deus, querendo que ele resolva, sendo que aquela nem era sua vontade para a nossa vida. Será que às vezes não temos orado de maneira equivocada e desejado algo que não é o que realmente precisamos? Será que você tem sonhado verdadeiramente os sonhos de Deus para a sua vida?

Eu já fiz muitas orações em que apresentei para o Senhor a minha vontade e ele me disse não. E, sinceramente, eu o louvo por isso, pois presenciei situações semelhantes com pessoas que o desobedeceram, decidiram agir por conta própria e se autodestruíram. Por alguma razão, temos a predisposição de achar que sabemos de tudo, que temos as melhores estratégias e planos, e que entendemos dos tempos. Mas Deus tem seus caminhos e é quem sabe, de verdade, do que precisamos. O que devemos fazer é buscar a vontade dele, nos submeter a ele e, assim como Abraão e a corajosa Ana, crer contra a esperança (cf. Romanos 4.16-18). Não desista de orar, acreditar e lutar pelo sonho de Deus. Quem sabe o seu milagre não será grandioso como o de Ana?

Enquanto isso, o que você deve se perguntar é: o que tenho feito durante a espera? Onde está realmente o meu coração: no milagre ou em quem tem o poder para realizá-lo? Pois a Bíblia é clara em dizer que "onde estiver o seu tesouro, aí também estará o seu coração" (Mateus 6.21).

Desafio

Faça uma lista com todos os seus maiores sonhos. Em seguida, dê início a um propósito com o Senhor, de jejum e oração ao longo de um mês, diariamente, pedindo-lhe que revele se seus sonhos estão mesmo alinhados com os dele. Anote tudo o que ele disser em um caderno e, ao término do prazo, reescreva a lista e compare a versão original com o novo direcionamento que ele lhe der.

9

dia nove

SE DEUS DISSE, VAI DAR CERTO

O MUNDO CONFUNDE FÉ com otimismo. Não é de hoje que tentam empurrar goela abaixo toda sorte de pensamentos positivos, autoajuda ou sentimentalismos infundados como sinônimo de cristianismo, ainda que este passe bem longe daquele. Eu não acredito em mero otimismo, porque a verdade é que ele não muda nada. A fé, por outro lado, muda tudo. Ela é capaz de transformar realidades, sistemas e a nossa forma de interpretar as situações e o que nos cerca. Crer é fundamentar a nossa vida na palavra de Deus, pois ela não erra nem decepciona.

Isso me lembra da conhecida história dos doze espias que foram enviados por Moisés para examinar a terra prometida e trazer um relatório de reconhecimento de território, em Números 13. A Bíblia nos diz que, após quarenta dias analisando e fazendo os levantamentos necessários, os espias voltaram e deram o seu parecer. Dez deles disseram:

> Fomos à terra a que nos enviaste; e verdadeiramente mana leite e mel, e este é o seu fruto. O povo, porém, que habita nessa terra é poderoso, e as cidades fortificadas e mui grandes; e também ali vimos os filhos de Anaque. Os amalequitas habitam na terra do sul; e os heteus, e os jebuseus, e os amorreus habitam na montanha; e os cananeus habitam junto do mar, e pela margem do Jordão (Números 13.27-29, ACF).

Canaã era, de fato, como o Senhor havia prometido, e não era novidade para nenhum deles a grandeza e o poder do Deus de Israel. Ainda assim, a maioria esmagadora deles preferiu fixar sua atenção e declarar sua confiança no que seus olhos haviam visto, e não na palavra que Deus já tinha liberado sobre eles.

Contudo, enquanto alguns se contentam e professam que não dará certo, pela graça divina, homens corajosos, como Calebe e Josué, sempre se levantam para nos lembrar que, se o Senhor prometeu, vai dar certo. Se Deus liberou uma palavra, é evidente que ela irá se cumprir. O que precisamos é crer e nos posicionar para conquistar a terra, porque mesmo que a promessa tenha sido lançada, a aquisição da terra continua sendo nossa incumbência.

Quantas pessoas, mesmo dentro da igreja, têm boicotado seu destino ao darem mais ouvidos às notícias de jornal, às ideologias mundanas, aos dados e pesquisas recentes do que às palavras que Deus já havia entregado a elas há anos. As opiniões e os conselhos alheios, a ciência, os diagnósticos médicos,

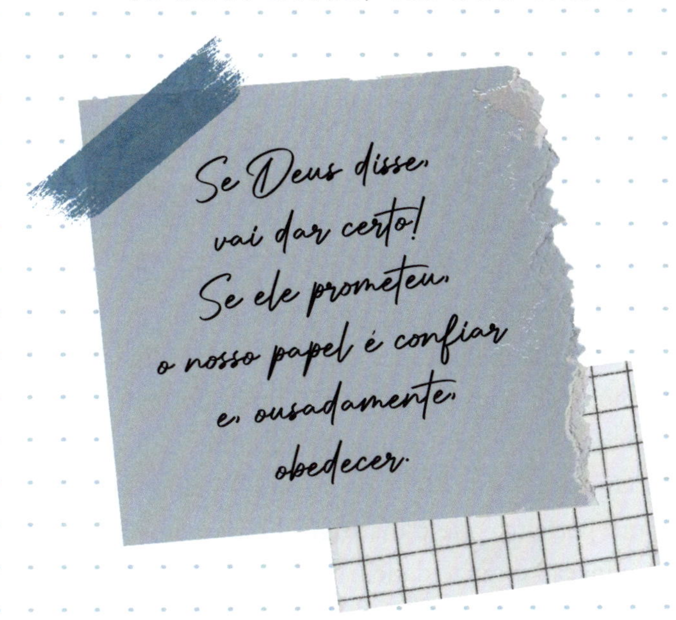

os achismos e estudos contemporâneos, lamentavelmente, têm pautado e dominado decisões muito mais do que as promessas do próprio Deus.

Muita gente tem alicerçado seu coração, sua família, seus sonhos e sua história em mentiras que, às vezes, as constrangem a não acreditar que “na sua vez” pode ser diferente; que, quando Deus está na equação, tudo pode mudar. O mundo em que vivemos hoje é mesmo desesperador e, embora tenhamos que lutar para estabelecer o Reino celestial nesta terra, não podemos ter a inocência de achar que o transformaremos por completo nesta vida. Jamais devemos nos cansar de fazer o bem e sermos bons embaixadores de Deus aqui, mas sempre com consciência de que as tragédias, as crises e os desafios não cessarão enquanto não formos para o céu. É por esse motivo que não podemos colocar nossos olhos, rascunhar o nosso futuro e apoiar a nossa felicidade no que é externo; afinal, isso certamente nos fará desistir e desacreditar dos planos divinos.

As promessas do Senhor nunca parecerão lógicas ou viáveis de acontecer — mesmo em um cenário ideal. Nós sempre necessitaremos de fé, de coragem e da ação sobrenatural para cumprir a nossa vocação. E não poderia ser diferente, pois Deus é infinito e imponente; então, seus projetos para o homem não teriam como seguir outros rumos. É verdade: você e eu somos pequenos, mas é lindo e extraordinário assistir ao Senhor usar seres humanos tão limitados e dependentes para feitos tão espantosamente sublimes e magníficos. Quando confiamos em Deus de maneira plena, acessamos o seu plano perfeito, que é inatingível para a nossa criatividade, imaginação e capacidade.

Josué e Calebe creram na palavra do Senhor e receberam os frutos de sua confiança. A passagem bíblica escrita em Números 13 avança e menciona que, apesar dos depoimentos pessimistas, os dois espias não se deixaram contaminar pela perspectiva deturpada do resto e, tempos mais tarde, conquistaram a terra prometida e usufruíram da palavra divina. O que ambos entenderam foi uma verdade poderosa e muito vital no cristianismo: com Deus, somos maioria; afinal de contas, se ele é por nós, quem poderia ser contra nós?

Aquele território era uma promessa de Deus para o povo. Ele não estava mentindo sobre o endereço e a condição daquele local. Os hebreus até poderiam não querer conquistá-lo, mas ele, realmente, manava leite e mel e havia sido prometido pelo Criador. Em nossa vida, a lógica é a mesma: podemos até não querer as promessas do Senhor ou acreditar nelas, mas o que Deus reservou para nós existe, está disponível e já foi preparado. Agora, a concretização dessas palavras só virá à tona se, primeiro, desejarmos, nos posicionarmos e começarmos a prestar mais atenção nas palavras de Deus do que nas circunstâncias e palavras a nossa volta. Está mais do que na hora de darmos mais valor ao que Deus está dizendo do que às contrariedades que nos cercam.

Crer é fundamentar a nossa vida na Palavra de Deus.

Aquele povo tinha recebido uma promessa, mas ao decidir focar no relatório dos dez espias, eles não só a adiaram em sua vida, como fracassaram e nem mesmo chegaram a vivê-la. O ponto não é negar a realidade. É óbvio que os gigantes existiam e eram fortes, numerosos e assustadores; não havia dúvida de que as cidades eram fortificadas e mui grandes, e que os inimigos perversos habitavam as montanhas e as terras perto do mar e do Jordão. Tudo isso era uma realidade factível. O grande equívoco e a estupidez desse povo foi ter acreditado mais no natural do que no sobrenatural. A falha foi ter sentenciado aquela missão ao fracasso, mesmo após o Senhor ter garantido-lhes a vitória.

A Palavra de Deus sempre será — e precisa ser — mais importante. No instante em que focaram mais no que seus olhos avistavam adiante, aqueles homens foram enfraquecidos, desmotivados e perderam a bênção que já era garantida, caso cressem, com fé, na palavra de Deus e se posicionassem com ousadia debaixo daquela verdade. Vou repetir para você não esquecer: quando permitimos que nosso entorno e a nossa visão limitada da realidade dominem nosso coração em vez da palavra celestial, acabaremos em cinzas e sem nenhuma promessa para contar a história. Se Deus disse, vai dar certo! Se ele prometeu, o nosso papel é confiar e, ousadamente, obedecer.

Podemos até não entender ou enxergar uma saída por um tempo, contudo, em breve, veremos o agir do Senhor ressurgindo no horizonte, pois a batalha para a qual ele nos convoca é a mesma que ele nos capacita a vencer pela sua força.

Isso, eu garanto, não se parece em nada com mero otimismo. Fé é o nome disto: a convicção daquilo que esperamos e sabemos ser real. A realidade pode aparentar ser contrária; mas, se o próprio Deus nos prometeu, vai acontecer; pois, se ele é por nós, quem será contra nós? Maior é aquele que está conosco do que aquele que está no mundo. Creia, Deus pode tudo! E se ele diz que vai certo, é porque será exatamente conforme ele prometeu.

Senhor Jesus, muito obrigado por teu amor, por teu perdão e por tuas maravilhosas promessas para a minha vida. Hoje eu me arrependo de ter dado ouvidos a tudo aquilo que possa ter contaminado o meu coração e feito com que não acreditasse em tuas palavras. Decido agora calar essas vozes e esquecer o que as circunstâncias, a mídia, os diagnósticos, os boletos ou quaisquer outras fontes dizem, e escolho crer em ti e em tuas verdades para a minha vida. Tu tens meu mundo em tuas mãos, e eu decido confiar que tens o melhor para o meu futuro. A tua palavra é mais importante do que o caos, do que as tempestades e do que meus medos. Se dizes que dará certo, é porque será conforme a tua palavra. Eu te amo e confio em ti, meu Deus! Em nome de Jesus, amém!

10

dia dez

TANQUE VAZIO

SOMOS SERES TRICOTÔMICOS: corpo, alma e espírito. Três partes que compõem um todo que precisa ser cuidado e estar em equilíbrio, uma vez que o desajuste em uma ou mais áreas pode afetar o resto. Menciono isso porque muitas pessoas acabam focando demais no espírito e esquecem dos outros dois, assim como outros miram demais só no corpo ou só na alma. Recebemos do Senhor a incumbência de zelar, desenvolver e proteger essa tríplice. Quando, entretanto, escolhemos um em detrimento dos outros, ficamos desalinhados, acreditando que a culpa para tal desarmonia é obra do Inimigo, das circunstâncias ou, até mesmo, de Deus, por ter permitido determinados cenários.

Uma pessoa que não cuida do seu corpo, por exemplo, não terá tanto vigor, saúde, qualidade de vida e, por consequência, eficácia para terminar bem a carreira espiritual proposta pelo Senhor. Da mesma maneira, alguém pode ser um modelo de vida espiritual e caminhada cristã e, por não se atentar nem cuidar da alma, pode colocar em risco a espiritualidade pelo simples fato de ignorar a necessidade de cura e santificação em sua mente, seu coração, caráter e suas emoções. A responsabilidade em cuidar do que nos foi confiado é nossa.

Entretanto, mais do que abordar sobre esse trio, hoje, gostaria de escrever acerca da importância de valorizarmos, cuidarmos e protegermos a nossa vida espiritual. Sim, todos os três têm sua relevância e seu espaço; porém, a vida no espírito tem que ser inegociável; do contrário, a aparência de vida será apenas uma maquiagem malfeita que tentará esconder a nossa morte por dentro.

As Escrituras nos afirmam que, após a intercessão e súplica de Ana, o Senhor ouviu as preces daquela mulher e lhe concedeu um filho chamado Samuel, que se tornou um grande sacerdote em Israel. Acontece que o texto bíblico do livro de Samuel nos narra uma conjuntura trágica. Eli, que era sacerdote ungido por Deus, havia chegado ao final de sua vida sem um relacionamento com o Senhor. Ele havia perdido a graça, a essência e o temor de Deus em sua vida. Não foi à toa que o Senhor lhe disse:

> "Portanto, o Senhor, o Deus de Israel, declara: 'Prometi à sua família e à linhagem de seu pai que ministrariam diante de mim para sempre'. Mas agora o Senhor declara: 'Longe de mim tal coisa! Honrarei aqueles que me honram, mas aqueles que me desprezam serão tratados com desprezo'." (1Samuel 2.30, NVI).

Duras palavras. Imagine ouvir esta sentença do próprio Deus: "Eu fiz uma promessa para o seu pai, para você e para a sua futura geração. Não era somente para você; na verdade, tudo isso nem mesmo teve início em você e também não terminaria após a sua morte. Eu lhe prometi que a sua família não seria tirada de diante de mim e que vocês serviriam o povo. Mas isso acaba hoje! Afastem-se de mim, porque vocês me desprezam e não me ouvem, e se tiver que honrar alguém, eu o farei com aqueles que me honram". Esse trecho me chocou, tempos atrás, quando reli essa história.

Com a correria e o frenesi, acabamos cuidando de tanta gente que, muitas vezes, esquecemos de nos cuidar. Temos uma palavra de consolo, conforto e amor para todo mundo; mas, quando somos nós que estamos na posição de receber, parece que aquelas palavras não se aplicam à nossa vida. Oramos por todos que cruzam nosso caminho; mas, por dentro, estamos como sepulcros caiados: temos aparência de vida, mas tudo o que sai de nós é bafo, eco de algo que antes era verdadeiro, mas hoje perdeu a essência, o poder e a autoridade, porque se tornou apenas um discurso pronto e não resultado de uma vida derramada aos pés de Cristo.

Tome nota:
A responsabilidade de cultivar o seu relacionamento com Deus é sua!

Entenda: não existe mágica. A responsabilidade de cultivar o nosso relacionamento com Deus é nossa e isso exige esforço, dedicação e intencionalidade. Nós não podemos permitir a nossa vida com ele esfriar, o nosso amor morrer, o tanque esvaziar e a apatia tomar conta dos nossos dias. Mateus ilustra bem essa verdade por meio da parábola das dez virgens. A Bíblia diz:

> “O Reino dos céus será, pois, semelhante a dez virgens que pegaram suas candeias e saíram para encontrar-se com o noivo. Cinco delas eram insensatas, e cinco eram prudentes. As insensatas pegaram suas candeias, mas não levaram óleo. As prudentes, porém, levaram óleo em vasilhas, junto com suas candeias. O noivo demorou a chegar, e todas ficaram com sono e adormeceram. ‘À meia-noite, ouviu-se um grito: ‘O noivo se aproxima! Saiam para encontrá-lo!’. Então todas as virgens acordaram e prepararam suas candeias. As insensatas disseram às prudentes: ‘Deem-nos um pouco do seu óleo, pois as nossas candeias estão se apagando’. Elas responderam: ‘Não, pois pode ser que não haja o suficiente para nós e para vocês. Vão comprar óleo para vocês’. E saindo elas para comprar o óleo, chegou o noivo. As virgens que estavam preparadas entraram com ele para o banquete nupcial. E a porta foi fechada. Mais tarde vieram também as outras e disseram: ‘Senhor! Senhor! Abra a porta para nós!’. Mas ele respondeu: ‘A verdade é que não as conheço!’. Portanto, vigiem, porque vocês não sabem o dia nem a hora!” (Mateus 25.1-13, NVI).

Cinco virgens, ditas prudentes, e cinco, insensatas. Umas estavam preparadas e levaram azeite — que era o combustível — para suas lâmpadas; enquanto a outra metade, imprudente como era, não se preparou e, ao se ver com pouco azeite, tentou pedir emprestado para as sábias que haviam levado óleo suficiente. O problema é que, se cedessem o que era delas, ficariam sem. O azeite era o básico que deveria ser a preocupação individual de cada uma das virgens, do mesmo modo como deve ser a nossa acerca do nosso relacionamento com o Senhor.

Um dos significados do azeite, na Bíblia, é a presença do Espírito Santo, que, assim como na parábola, não pode faltar em nossa vida. Desenvolver um compromisso e amizade com Deus deve ser a maior prioridade da nossa existência neste mundo. Acho curioso como tantas pessoas desejam ir para o céu, sendo que lá será apenas uma extensão do que já iniciamos aqui na terra. Logo, se alguém não gosta de orar, não deseja conhecer a Deus mais profundamente nem investe tempo no relacionamento com ele, o que irá fazer no céu, então?

Acostumar-se a não ter a presença de Deus por perto é perigoso. Porque não é do dia para a noite que nos afastamos dele. Tudo acontece bem lentamente, como as virgens inconsequentes que estavam à espera do noivo, mas que acabaram se distraindo e não levando combustível suficiente para aguardarem a chegada daquele homem na luz. No caminho, acabaram negligenciando a necessidade do azeite em sua vida e, por fim, não foram reconhecidas pelo dono da festa. Da mesma maneira como a vida com Deus é construída diariamente, a distância da presença dele também ocorre devagar. E quando nos damos conta, viver sem o óleo já não é um problema; viver sem a doce, valiosa e inegociável presença do Espírito Santo não incomoda mais.

É desse modo que, pouco a pouco, vamos nos esquecendo do que realmente importa, e o reservatório do nosso tanque começa a baixar, baixar, baixar, baixar... até se tornar completamente seco, estéril e vazio. No instante em que isso acontece, passamos, então, a perder e ignorar os princípios que nos mantinham na presença de Deus, e aquilo que era pecado já começa a não mais nos inquietar; o que havíamos melhorado e desenvolvido passa a regredir. Não nutrimos mais temor a Deus e não conseguimos mais enxergar a nossa humanidade caída, imunda, depravada e totalmente dependente do perdão, da graça e misericórdia do Senhor.

Em compensação, quanto mais cheios do Espírito Santo, mais temos um olhar espiritual para situações, pessoas e nós mesmos. Se há alguém mal-intencionado, por exemplo, o nosso espírito é capaz de captar. Se uma pessoa é plena de azeite, ela é repleta da glória de Deus e dispõe de muito mais sensibilidade para falar, agir, decidir, opinar, orar e realizar ou não alguma coisa, pois é guiada pelo Espírito. Um ser humano cheio do Senhor não aceita qualquer coisa. Gente que tem vida com Deus é diferente. O olhar brilha, as suas palavras carregam autoridade, consolo, paz e poder. Os tristes saem da presença dele alegres e recheados de esperança. Os sobrecarregados procuram a ajuda dele e se despedem leves, sem culpa e revigorados, porque aquele que é rico da presença do Espírito Santo sempre tem o que dar aos outros; ele não só é cheio, como também transborda.

TENHA ESTA AMBIÇÃO:
Ser cheio do Espírito Santo!

Eu quero ser alguém cheio do Espírito Santo para os outros, e essa deveria ser a sua ambição também. Quando Eli, o sacerdote, se deu conta da sua negligência diante do Senhor, era tarde. De igual modo, o instante em que as cinco virgens imprudentes perceberam seu erro também já era o fim. Ambas as histórias nos alertam para um denominador em comum: todos daremos conta de nossa vida espiritual. Por isso, se ela está gritando por socorro, não ignore. Arrependa-se, volte atrás e conserte seus caminhos enquanto há tempo.

A biografia de Eli termina de forma trágica. Ele morreu cego, acabado, com a reputação manchada diante de Deus e dos homens; perdeu a linhagem do sacerdócio; seus filhos também morreram com fama de libertinos e perversos, e tanto eles como o pai faleceram sem a presença manifesta do Espírito em sua vida. Samuel, filho de Ana, assumiu, então, o sacerdócio. Aquele garoto nem era da linhagem de Eli, mas, por conta da devoção e entrega de sua mãe, e pelo seu próprio posicionamento diante do Senhor, seu nome e sua história foram eternizados nas páginas bíblicas. Quando nos dispomos diante de Deus e o priorizamos em nossa jornada, começamos a ser cheios dele e acessamos as promessas que nem estavam programadas para nós. O plano era a família de Eli seguir no sacerdócio, mas Deus decidiu alterar o curso daquela história e levantar um jovem que estava disposto a ouvir sua voz e obedecer.

Minha oração diária é que o Senhor me relembre constantemente do dia em que o recebi em meu coração. Eu era só um menino quando o conheci na Assembleia de Deus setor João Costa em Joinville. Todo domingo pela manhã, percorria quatorze quilômetros para frequentar a escola dominical, porque queria aprender mais sobre a Palavra e sobre aquele Deus que havia transformado a minha vida radicalmente. Eu estava apaixonado pela presença do Espírito Santo. Participava de campanhas de oração, subia nos montes e engajava com qualquer iniciativa só para conhecer mais a Jesus. Eu não pedia nada. E nem precisava. A presença dele era mais do que o bastante.

Hoje, eu não sou mais aquele garoto, mas ainda peço para que Deus conserve o coração de criança em mim e me dê força e ousadia para que eu jamais permita que o meu amor por ele esfrie. Não delegue essa responsabilidade para outro.

A caminhada, por mais coletiva que seja, é também individual. Não seja escravo das orações alheias, das palavras de outras pessoas, de um vídeo na *internet* para se alimentar espiritualmente ou de alguém lhe dizendo qual caminho seguir. Dobre seus joelhos e clame *você* por sua própria vida. Ore *você* para que o Senhor derrame revelações, direção, sustento e renovo sobre a sua vida e a da sua família. Seja cheio do Espírito Santo e não refém de circunstâncias ou seres humanos. Deus nos criou para ele e somente assim seremos verdadeiramente livres e capazes de transbordar.

Passos práticos

1. Em um papel, faça um cronograma para os seus devocionais todo mês. Se preciso for, separe e anote os minutos que dedicará diariamente para cada etapa, por exemplo: Oração: mínimo de 15 minutos; leitura bíblica: dois capítulos (cerca de 15 minutos); adoração: 10 minutos; oração em línguas: cinco minutos. [*Esses são apenas modelos. É essencial desenvolver seu próprio relacionamento com Deus e ouvir dele como será cada dia; isso evitará que você caia no automático.*]
2. Ore e busque em sua igreja local um líder temente a Deus e sábio para prestar contas acerca da sua vida espiritual. [*Importante: priorize sempre alguém do mesmo sexo que você.*]
3. Tenha um caderno para anotar tudo que o Senhor lhe disser diariamente para fazer um balanço mensal dos seus progressos.

11

dia onze
TUDO NOVO

HÁ UNS ANOS, minha esposa e eu decidimos construir uma casa nova. Nossa família estava crescendo, e vimos nisso uma oportunidade para edificar um lar com a nossa cara como sempre sonhamos. Até então, não havíamos tido experiências como aquela, com arquiteto, maquinário pesado e engenheiros trabalhando constantemente para finalizar a planta. À certa altura, descobrimos que seria necessário fazer um estudo do solo para saber o que tinha embaixo da terra; então, contratamos uma perfuratriz, que atingiu até determinada profundidade.

Conversando com o arquiteto, entendi que, a partir dali, seria preciso contratar outra empresa com um equipamento ainda mais potente para finalizar o trabalho e para a equipe constatar a qualidade do solo, já que o projeto da casa era um pouco maior e, para que a construção tivesse início, era necessário conhecer o local em que o alicerce seria colocado. Quando construímos um grande empreendimento, temos que conhecer a fundo o solo sob o qual implantaremos o alicerce, pois, se a terra tiver problemas graves, falhas e desníveis, a edificação não subsistirá.

Nossa vida segue a mesma lógica. Somos seres humanos e cometemos erros. O ponto é o que fazemos com a nossa falha ou a dos outros em relação a nós: se varremos para debaixo do tapete ou se enfrentamos com coragem e solucionamos a questão. Muitos de nós — se não a maioria — temos construído a nossa vida em cima de escombros, sobre um solo danificado de problemas mal resolvidos. Então, em vez de analisarmos o solo do nosso coração, solucionarmos nossos assuntos e seguirmos em frente, fingimos que não é conosco e erguemos edificações em cima disso mesmo assim.

Essa é a razão de testemunharmos tantos divórcios hoje, por exemplo. As pessoas não apenas se casaram errado, como também não estavam tratadas antes de se casar. O que aconteceu foi que, com o tempo, a vida conjugal se tornou mais pesada do que os recursos internos que ambos tinham alicerçado antes do casamento. O matrimônio é, sim, algo divino e maravilhoso, mas ele não serve para satisfazer carências e preencher vazios. Uma pessoa que começa um relacionamento sem ter aproveitado o tempo de solteirice para se conhecer, ter seu caráter tratado por Deus e também aproveitar o que essa época tem para oferecer, tem grandes

Podemos decidir o que fazer com a nossa vida, mas responderemos por cada ato e colheremos o que plantarmos.

chances de se frustrar e terminar uma relação com a desculpa de que percebeu que "precisa ser feliz" — como se a culpa fosse do casamento, e não das más escolhas ou falta de maturidade e perseverança do casal.

Na educação dos filhos, isso também pode acontecer, assim como em todas as situações que vivemos diariamente. Onde há um ser humano, há possibilidade de erro, mas, não nos esqueçamos, também existe chance de redenção. Para todo problema, tem uma solução compatível. Só que ela demanda esforço, intencionalidade, vontade e disposição. A mudança não ocorre do nada e não é privilégio de alguns. Qualquer pessoa no mundo carece de transformação em seu coração, seus pensamentos, suas vontades, seus sentimentos e sua identidade.

Na realidade, quando não andamos com Deus ou não permitimos que ele acesse e transforme a nossa alma, temos a tendência de reagir de acordo com os nossos instintos de sobrevivência ou com o modo como aprendemos ao longo da vida. Isso quer dizer que, apesar de não poder ser usado como desculpa — afinal, todos respondemos por nossa vida —, diversas pessoas carregam traumas, medos, inseguranças, são grosseiras, violentas, mal-educadas, rancorosas, não acreditam no amor, têm aversão a casamento e não querem saber de Deus ou da Igreja, porque viveram experiências traumáticas durante a jornada e decidiram construir sua história em cima desse solo corrompido. Contudo, a pergunta que surge é: diante desse cenário, como seria possível viver algo novo e bom, se a base está tão deturpada? Às vezes, queremos educar bem os nossos filhos, mas ainda carregamos o trauma do nosso pai, que nos ensinou de maneira errada. Desejamos amar a nossa esposa ou o nosso marido, mas nos lembramos da vez que a nossa mãe cometeu adultério e, por isso, desconfiamos e nos fechamos.

Perceba: os problemas não se tornam mais fáceis. Pelo contrário, se não tratamos, eles vão acumulando escombros no solo da nossa alma. O engano é pensarmos que, pelo fato de ninguém enxergar o nosso coração, isso não irá se tornar aparente. Que grande mentira. Ainda que fique escondido, não podemos fingir para sempre. Uma hora ou outra, as raízes, o tipo de solo, as questões e os problemas emocionais mal resolvidos vem à tona. “Porque não há nada oculto que não venha a ser revelado e nada escondido que não venha a ser conhecido e trazido à luz” (Lucas 8.17).

O que nos resta, então, são apenas dois caminhos: convivermos com isso e perpetuarmos uma vida de sofrimento e mais problemas, ou levarmos nossas imperfeições e dificuldades a Deus e nos abrirmos para o processo de cura. Nem um, nem outro são coisas fáceis de se fazer. Mas, na vida, temos que escolher “os nossos difíceis”. Enfrentar e resolver nossos traumas é difícil; não enfrentar nem resolver também é difícil: escolha o seu difícil. Estar em forma é difícil; estar acima do peso também é difícil: escolha o seu difícil. Estudar e investir em nossa educação é difícil; não estudar também é difícil: escolha o seu difícil. Andar com Deus e viver seus planos é difícil; não andar com ele nem viver o que ele planejou também é difícil: escolha o seu difícil. Fazer um casamento dar certo é difícil; divorciar-se também é difícil: escolha o seu difícil. Para tudo na vida, temos o poder de decisão que não pode ser tirado de nós. E, para cada escolha que fazemos, seremos cobrados por Deus.

O Senhor colocou em nossas mãos o poder de decidir o que desejamos fazer com a nossa vida, mas isso não significa que não responderemos por cada ato ou que não colheremos o que plantarmos. Uma coisa é certa: Deus é justo e, apesar de nos amar, ele jamais violará o nosso livre-arbítrio. Se plantarmos alguma coisa, colheremos exatamente o que semeamos. Contudo, se desejamos coisas boas e novidade de vida, por que, muitas vezes, continuamos plantando as mesmas decisões e os mesmos posicionamentos?

A Palavra do Senhor diz:

> "Esqueçam o que se foi; não vivam no passado. Vejam, estou fazendo uma coisa nova! Ela já está surgindo! Vocês não a reconhecem? Até no deserto vou abrir um caminho e riachos no ermo" (Isaías 43.18,19, NVI).

Esqueça do passado, olhe para frente, se abra para o novo do céu e não permita que os escombros engulam você e o seu futuro. Existe reconstrução e reforma para a sua vida; as coisas não estão perdidas. Basta permitir que Deus trabalhe o solo e os alicerces; mas, para isso, é preciso tirar as sujeiras escondidas, as falhas, os declives; é necessário nivelar a terra, perfurar fundo e arrancar os escombros. Será difícil, já adianto, mas não fazer nada também será.

A Bíblia, em compensação, nos promete que, se abraçarmos o processo, veremos algo novo surgir. Você não nasceu para ter uma vida fadada a reproduzir modelos ruins do passado, a ser alguém que, quando menos percebe, está tratando a esposa da mesma forma que o pai tratou a mãe; alguém que não consegue empreender por medo da falência que viu os

A decisão é sua.

pais sofrerem; uma pessoa que não se enxerga com bons olhos porque foi alvo de palavras negativas quando criança.

Você foi feito à imagem e semelhança de Deus, o Criador do universo. Ele enviou o seu único e precioso filho para nos trazer salvação no corpo, na alma e no espírito, e é exatamente por isso que, hoje, pela graça divina, podemos viver coisas novas. Cristo faz novas todas as coisas. O que é velho pode ficar para trás, pois eis que tudo se fez novo.

Onde ninguém vê esperança, o Senhor faz nascer rios, brilhar a sua luz e aparecer caminhos que não existiam. Suas emoções, seus traumas, medos e problemas não precisam ser o alicerce da sua história, Cristo deve ocupar esse lugar e, quando lhe damos espaço, ele muda tudo e traz novidades que soarão absurdas para os que estão ao seu redor.

A decisão é sua. As coisas novas prometidas por Deus estão disponíveis para nós, a pergunta é se vamos ou não escolher acessá-las. Se decidir seguir em frente nessa empreitada, você pode começar se rendendo a Deus e abrindo o seu coração para ele. Entregue tudo, não retenha nada. Aos poucos, ele o direcionará em relação ao que deve fazer. Talvez você tenha que pedir perdão ou perdoar e, se esse for o caso, faça isso, ainda que seja difícil. Se tiver que voltar atrás, volte. Se precisar seguir em frente, siga. Elimine tudo, entregue ao Senhor e, em humildade, escolha abraçar algo fresco do céu para a sua vida, porque a coisa nova já está surgindo. Será que você é capaz de perceber?

Perguntas reflexivas

1. Quais são os escombros que têm atrapalhado você de prosseguir em direção ao plano perfeito do Senhor?

2. Quais deles são resultado de suas atitudes e quais são fruto das ações de outras pessoas? Seja honesto ao responder.

3. Que passos práticos você pode dar hoje para se livrar deles?

12

dia doze

VULNERABILIDADE

"JESUS CHOROU" (JOÃO 11.35, NVI). Essas foram as palavras que descreveram a atitude de Cristo diante da morte de Lázaro, um amigo que ele amava profundamente. A vida de Jesus nos ensina sobre qualquer aspecto, mas creio que a sua vulnerabilidade e sinceridade são duas qualidades que temos urgência em aprender nos dias atuais.

Ao encontrar-se com Maria e os judeus que a acompanhavam, e vê-los chorando, Jesus nos deu uma aula de vulnerabilidade e nos ensinou a reagir de forma saudável. Hoje, vivemos em um período da história em que muitos acreditam que ser vulnerável é o mesmo que demonstrar fraquezas, mostrar o *backstage* e as dificuldades da vida que têm, contar histórias tristes e expor ao mundo seus infortúnios e autocomiseração. Engana-se quem pensa que essa é a definição dessa palavra.

Vulnerabilidade não é fazer os outros acreditarem que somos frágeis e indefesos, mas olharmos para dentro de nós e termos convicção de que necessitamos de Cristo, pois somos pequenos, incapazes, insuficientes e frágeis. Ser vulnerável não é provocar lágrimas e compaixão nos outros por contarmos a nossa história; é, antes de tudo, nos lançarmos aos pés do Senhor justamente por reconhecermos quem somos e quem não somos.

Identificar a nossa fragilidade não exige gritá-la aos quatro cantos do mundo. Aliás, é uma questão de sabedoria e inteligência não o fazer; afinal, o que garante que, ao verbalizarmos nossas fraquezas, não seremos atacados por aqueles que as descobrirem? Tome cuidado com as pessoas a quem você tem demonstrado vulnerabilidade, pois, em algum momento, elas podem usá-la contra você.

Todos nós somos frágeis, é verdade, mas também temos forças e uma capacidade inimaginável de superação e determinação em certas áreas. Isso, evidentemente, não nos isenta da carência e necessidade de nos voltarmos ao Criador. É por isso que eu não consigo pregar sem orar ou realizar o ministério sem a presença de Jesus — razão pela qual, inclusive, volta e meia, o Senhor bagunça a minha agenda, e a única constatação a que sou capaz de chegar é que, apesar da preparação, das habilidades e forças que ele colocou em mim, continuo sendo tão dependente dele como no dia em que o recebi como meu Senhor e Salvador.

Vira e mexe, separo um tempo para refletir em minha vida e sempre me pego pensando de onde Deus me tirou. Eu estava condenado à morte eterna, completamente asfixiado por meus pecados e perversões. Envolto em mentiras e inclinações hediondas, meu coração e minhas vontades me levavam para longe da minha identidade e do meu propósito original. O Senhor, porém, pagou a minha dívida, me deu roupas e calçados novos, colocou um anel em meu dedo e ainda me presenteou com uma festa de boas-vindas (cf. Lucas 15.11-32). Nunca quero me esquecer de que tudo o que tenho foi ele quem me deu; de que tudo o que eu sou é graças à misericórdia, à paciência e ao amor dele. Refazer esse caminho mentalmente, de vez em quando, me traz ao início de tudo, quando eu ia orar no monte, encostava as minhas costas em uma árvore e indagava: "Jesus, qual será a mensagem de amanhã?" e não me levantava para ir embora enquanto o Senhor não me respondesse com a mensagem que ele desejava que eu ministrasse.

Nosso problema é sermos tentados a pensar que controlamos alguma coisa, que temos uma boa oratória, uma técnica apurada para realizar tal coisa, que nos garantimos nos contatos, com o dinheiro, a influência nas redes sociais ou em certo

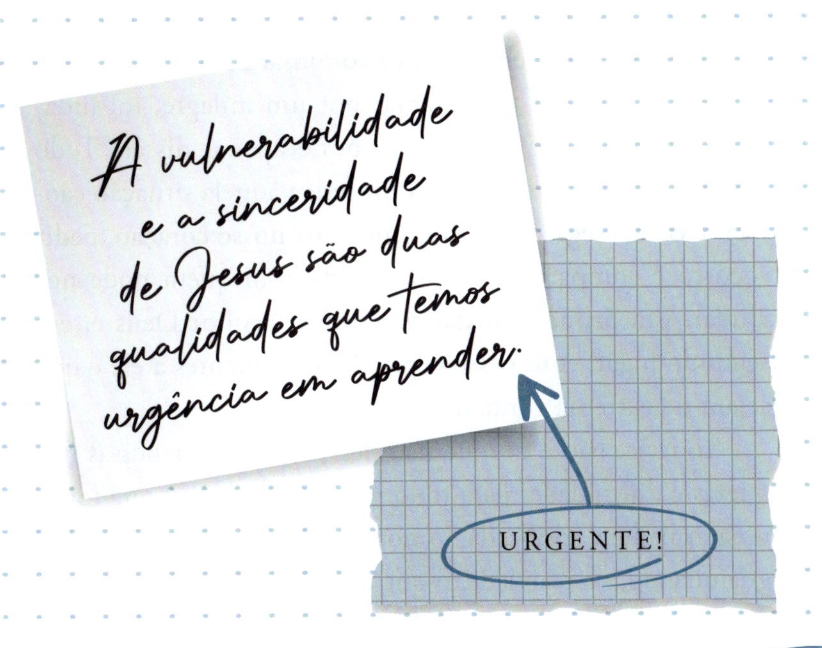

círculo social, que somos certificados por conta dos diplomas ou do nosso conhecimento de Bíblia. E, assim, de repente, passamos a acreditar que conseguimos sozinhos, sem o Deus que nos criou, nos deu um sentido de vida e um propósito para lutar. Pensar em tudo isso me faz lembrar de quem eu sou e me traz sobriedade para continuar a caminhar na direção correta. Espero, do fundo do meu coração, que você também traga à memória a sua identidade em Cristo e lembre constantemente de onde ele o tirou. E, se você ainda não conhece nem uma coisa nem outra, hoje é o seu dia. Não importa quem você seja, uma coisa é certa: você não é nada sem Jesus.

Ah, se não fosse o Senhor na minha e na sua vida. Na presença dele, sim, podemos ser vulneráveis, pois ele conhece o nosso coração, sabe do que precisamos e nos ama. Na presença dos nossos inimigos, contudo, nós somos fortes. Diante daqueles que não nos conhecem ou não podem nos ajudar, continuamos constantes e firmes no Senhor, como a mulher sunamita (cf. 2Reis 4.8-32). Mesmo perante a morte de seu filho, essa mulher corajosa, ao ir correndo até o homem de Deus para clamar por um milagre, foi indagada a respeito de suas motivações e apenas disse: "Tudo vai bem", como uma resposta profética àquela situação caótica. Esse é o segredo. Temos que abrir nosso coração, pedir socorro e compartilhar a nossa vida com quem pode nos ajudar. Em primeira instância, com o Senhor Deus e, em segundo lugar, com pessoas próximas, tementes a ele e que sejam de extrema confiança.

Todavia, não é porque não devemos mostrar nossas fraquezas e dificuldades para todo mundo que temos que forjar uma armadura falsificada ao nosso redor e fingir força e alegria quando, na realidade, o que experimentamos é o oposto.

Ninguém é super-herói. Nós sentimos medo, raiva, cansaço, fraqueza e falta de ânimo. A questão não é fingir, mas simplesmente não comunicar aos outros o que não deve ser dito. Junto a isso, um passo importante é nos agarrarmos às verdades bíblicas que asseguram, por exemplo, que Deus é a nossa força, ainda que o nosso corpo e coração fraquejem (cf. Salmos 73.23); que o Senhor é o nosso pastor e, por isso, nada nos faltará (cf. Salmos 23.1); que ele protege os que o temem e que firmam a esperança no seu amor para livrá-los da morte e garantir-lhes vida (cf. Salmos 33.17-19); que Deus é misericordioso e piedoso (cf. 2Crônicas 30.9b); que ele perdoa a iniquidade, se esquece da rebelião e não retém a sua ira para sempre, pois tem prazer na benignidade (cf. Miqueias 7.18). Todas essas afirmações estão seguramente garantidas na Palavra. Quanto mais conhecemos as Escrituras, mais somos cheios das verdades celestiais e menos somos guiados por sentimentos ou circunstâncias. Para tudo que precisamos na vida, Jesus tem uma resposta.

Para tudo que precisamos na vida, Jesus tem uma resposta.

Ele tem, inclusive, uma resposta para as perguntas que você ainda nem fez. Ele é suficiente, poderoso, onisciente, mas escolheu também nos mostrar seu lado vulnerável e sincero. Ali, diante de Marta e Maria, suas amigas próximas, Cristo chorou. Naquele momento, ele não se deixou dominar por um espírito de derrota ou impotência, nem se permitiu ser destruído por aquela dor, ainda que ela fosse legítima e intensa.

Jesus chorou pelo amigo que havia perdido há quatro dias, mas ele não parou por aí. As Escrituras mencionam que, logo em seguida, Jesus fez alguma coisa: ele orou. A oração do Mestre a Deus Pai, unida à ação do Espírito Santo, foi o catalisador para que o milagre acontecesse e transformasse aquela trágica situação em uma ressurreição que entrou para a história.

Por alguns segundos, use a sua imaginação. Após uma oração em voz alta, Cristo chamou seu amigo para fora do túmulo. Este, por sua vez, atendeu o comando e saiu, com as mãos e os pés envolvidos em faixas de linho, e o rosto envolto em um pano. Lázaro ressuscitou, e, depois disso, muitos judeus que tinham ido visitar as irmãs, vendo o que Jesus fizera, creram nele. Que cena memorável!

Por outro lado, essa história também nos mostra a vulnerabilidade de Marta e Maria ao correrem aos pés do Mestre e pedirem socorro a quem poderia ajudá-las. A vulnerabilidade sempre irá nos conectar com Jesus com muito mais facilidade. É no momento em que a vida nos tira o controle que aquilo que programamos simplesmente se desprograma; quando o que achávamos que estava dando certo, de repente dá errado, é que precisamos reconhecer que necessitamos da ação divina em nossa vida.

Que grande dádiva podermos ter a certeza de que as misericórdias de Deus se renovam sobre nós a cada manhã (Lamentações 3.22,23).

Pare e reflita: o que seria de você se Jesus não o tivesse encontrado e lhe dado uma nova esperança e vida abundante?

Não fuja. Não tente demonstrar uma força fictícia, mas também não saia por aí contando histórias para que tenham pena de você. Seja real, íntegro, verdadeiro; aprenda a ser vulnerável. Reconheça a sua dependência do Senhor e corra na direção dele.

Se hoje você está lendo estas palavras e se encontra longe de Jesus, distante de casa, ou, se nunca tomou a decisão de reconhecê-lo como seu Senhor e Salvador, este é o seu dia. Toda a sua vida depende dessa decisão. Você não é suficiente; ninguém é. Volte para Jesus e reconheça que não consegue sozinho. Está tudo bem; com ele, você pode ser vulnerável.

A resposta é sua. Esta é a oportunidade perfeita para colocar em prática aquilo que você leu até aqui. Isso é reconhecer a sua vulnerabilidade. E eu lhe asseguro que, a partir de hoje, você nunca mais será a mesma pessoa, e não é nem porque não deseja, mas porque você não suportará.

A Bíblia diz que o Espírito Santo nos convence do pecado, da justiça e do juízo (João 16.7-11); e, quando o recebemos em nosso coração e começamos a andar com ele, é impossível permanecermos iguais. Assim, gradualmente, nos olhamos no espelho e passamos a não nos reconhecer mais.

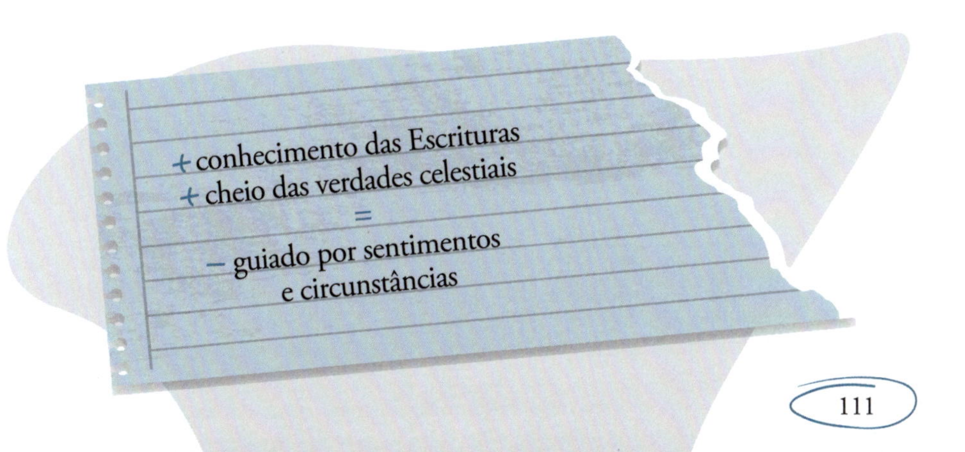

Você deseja tomar essa decisão agora? Não importa onde esteja agora, se a resposta for positiva, repita em voz alta, palavra por palavra, comigo:

> "Senhor Jesus, muito obrigado pelo teu amor. Hoje, eu te reconheço como meu único, legítimo e suficiente Senhor e Salvador. Confesso que não sou nada sem a tua presença e que dependo de ti. Perdoe os meus pecados, eu me arrependo. Por favor, escreva o meu nome no livro da vida e me use para tua glória. Eu te amo. Em nome de Jesus, amém!"

Desafio

Após fazer essa oração,
procure uma igreja local confiável
para congregar. Ore para que
Deus prepare líderes tementes ao
Senhor e sinceros para caminhar
com você e ajudá-lo nesta nova
jornada ou no retorno para casa.

13

dia treze
TUDO E MAIS UM POUCO

NADA NO MUNDO É RELATIVO. E essa, com certeza, é uma lógica criada por Deus e aplicada no seu Reino. Quando se trata de confiar nele, deixá-lo trabalhar, crer na provisão, no cuidado e no milagre, não há muito segredo: ou confiamos ou não; ou permitimos ou não; ou cremos ou não. Simples assim. Alguns podem até tentar encontrar desculpas para burlar o *modus operandi* celestial, controlar ou realizar o que quer que seja à sua maneira, mas a verdade é que a caminhada com Deus não permite fazer as coisas do nosso jeito ou relativizar o poder, a soberania e o amor dele.

Tem gente, por exemplo, que diz confiar no Senhor, mas somente em certas ocasiões. Alguns outros, em um primeiro momento, até confiam e entregam suas questões a ele, mas não o deixam trabalhar nem um segundo sequer, pois tiram-nas das mãos dele o tempo inteiro, impedem ou atrapalham o agir sobrenatural. Há aqueles também que professam crer no Senhor; mas, em vez de renderem toda a sua vida, dão a ele apenas migalhas do seu coração e as partes que convêm, escolhendo manter a uma distância segura centenas de outras frações que não desejam compartilhar com mais ninguém além de si mesmos. Mas isso não funciona com Deus.

Agora, apesar disso, sabemos bem que confiança não é tarefa fácil. Seria leviano se eu dissesse que sim. Qualquer pessoa, por mais espiritual e amiga de Deus que seja, tem certa dificuldade com ela. Eu mesmo, vez ou outra, caio no erro de achar que o Senhor precisa da minha ajuda ou que, dependendo da dimensão, não conseguirá realizar o milagre. O curioso é que a maioria de nós afirma com todas as letras que ele pode fazer absolutamente qualquer coisa. Mas e você? Por acaso, pode andar sobre as águas? Você tem poder para abrir o mar? Ou quem sabe fazer chover? Ressuscitar um morto? Parar o sol? Poderia continuar fazendo essas perguntas pelo resto da vida e sei que as respostas seriam as mesmas. No entanto, e se eu lhe perguntasse tudo isso tendo Deus como sujeito? Ele pode partir o mar em dois? É capaz de fazer que chuva caia do céu? Ele consegue parar o sol? O Senhor é capaz de saber quantos fios de cabelos há na sua cabeça? Conhece o seu coração e as suas intenções? Tem poder para ressuscitar os mortos? Pode perdoar os pecados, limpar seu interior e transformar sua vida por inteiro? Sim, ele pode. Deus pode; você e eu, não. Mas, se é assim, por que ainda tentamos comandar tudo ao nosso redor? Por que, a despeito disso, pensamos ser os senhores da nossa história? Não estamos no comando, e entregando-o ou não nas mãos de Deus, continuamos sem tê-lo em nosso domínio. Então, se sabemos que Deus pode tudo, o coerente seria começarmos a abrir mão daquilo que não podemos fazer. Algumas coisas são mesmo da nossa responsabilidade e precisamos nos mobilizar para pôr em prática, mas muitas outras são prerrogativas divinas, e não devemos interferir, ainda que seja uma coisa complicada de se fazer.

Eu me lembro que, há alguns anos, a minha esposa, Paulinha, e eu recebemos algumas palavras proféticas sobre uma nova estação que começaríamos a viver na época. Deus falou conosco e ficamos extremamente animados, principalmente ao perceber que algumas partes daquela palavra logo se concretizaram. Tudo estava indo de vento em popa: minha esposa ficou grávida de nossa princesa, Serena — o principal marco dessa temporada —, a associação evangelística que criamos estava se estruturando, e diversas outras situações novas estavam acontecendo conforme o Senhor havia prometido. O ponto é que, à medida que as coisas foram se desenrolando com certa rapidez, passei a ficar empolgado para resolver algumas outras situações que derivavam daquelas que Deus já estava realizando em nossa vida.

Assim, quando percebi, me vi atrapalhando os planos divinos e gerando um transtorno desnecessário. Ou, em outras palavras, o famoso "colocar o carro na frente dos bois". A nova estação tinha chegado com tudo e, ao notar aquela movimentação, rapidamente, senti a necessidade de mudar do nosso apartamento para uma casa. Mesmo sem saber o que se sucederia, comecei a pesquisar imóveis para alugar, fazer visitas e contatar os corretores da cidade, que ficaram extremamente empolgados comigo e com a Paulinha ao reparar em nossa animação. Mas ela durou pouco. Entrávamos nas casas, uma após a outra, cheios de expectativa; mas, por algum motivo, nenhuma negociação ia para a frente. Então, eu fui me intrometendo, me enfiando onde Deus não havia me chamado e, encurtando a longa história, em uma dessas visitas, marcamos de conhecer mais duas casas. A primeira não era lá aquelas coisas, mas a segunda... era exatamente o que nós queríamos. A residência era maravilhosa e do jeito que sonhávamos. Andei pelos cômodos, gastei tempo analisando os detalhes e checando cada parte do local com a Paulinha. Até que, por fim, ela e eu trocamos olhares e não precisamos de palavra alguma para decodificar o que estávamos pensando. Com um sorriso sem graça, agradecemos a paciência da corretora e lhe dissemos que iríamos orar, mas que ela podia continuar procurando outras opções.

Entramos no carro, olhei novamente para a minha esposa e perguntei: "E aí, amor, o que você achou?". "Eu gostei, amor", ela logo devolveu sem entusiasmo. Um silêncio pairou no ar por alguns segundos até que lancei outro questionamento: "Você sente o mesmo que eu?". Foi quando ela, surpreendentemente, respondeu: "O quê? Falta de paz?". Na mesma hora em que pronunciou aquelas frases, virei a cabeça bruscamente e arregalei os olhos, dizendo: "Sim! Eu não consigo sentir paz em lugar nenhum, amor". "Acho que é porque a gente ainda não sabe o que Deus tem para nós", ela acrescentou, um tanto cabisbaixa. A Paulinha estava certa.

Naquele momento, a ficha caiu e senti vergonha por ter tentado assumir o comando mais uma vez. Eu não sabia o que o Senhor desejava para a nossa vida, mas isso não me impediu de, novamente, me meter e começar a fazer as coisas do meu jeito. Submerso em pensamentos profundos, no carro, me recobrei dos desvaneios e constatações do que havia ocorrido, e disse à Paulinha: "Sabe de uma coisa, amor, você está coberta de razão. Hoje a gente sai da frente de Deus".

Não demorou muito para começarmos a sentir a paz e alegria que eu jamais conseguiria pôr em palavras aqui. Não havíamos nos mudado do apartamento nem encontrado uma casa nova nem recebido as próximas coordenadas de Deus acerca do nosso futuro, mas descansávamos na certeza de que ele estava à nossa frente, trabalhando a nosso favor. O Senhor, sim, estava no comando, então podíamos ter convicção de que tudo terminaria bem.

> O lugar de Jesus Cristo deve ser o trono do nosso coração.

Efésios 3.20 diz: "Àquele que é capaz de fazer infinitamente mais do que tudo o que pedimos ou pensamos, de acordo com o seu poder que atua em nós" (NVI). Deus pode tudo, absolutamente tudo. Somos limitados e, ainda que achemos ser capazes de sonhar grande, nem em nossas fantasias mais elaboradas, poderíamos sequer chegar perto da boa, perfeita e agradável vontade divina para nós (cf. Romanos 12.1,2, NVI).

É verdade, gostamos de estar no comando e tomar a dianteira das situações; entretanto, no Reino de Deus, quem comanda é o Rei dos reis, e não os seus servos. Sendo assim, a decisão mais lógica é entregar a ele o que, na realidade, sempre foi dele por direito. Jesus Cristo deve sentar-se no trono do nosso coração, assumir o volante da nossa história e guiar-nos ao seu plano infalível e excelente.

Hoje, escrevo estas palavras para mim também. A cada linha, me lembro das inúmeras vezes em que, sem perceber, tentei tirar o Senhor do trono e retomar o controle. Ele, porém, jamais desistiu de mim. Ser humano nenhum está isento desse mal. Todos precisamos tomar cuidado para não cairmos no erro de cogitar que, assim como ele, podemos realizar grandes feitos sozinhos. Nós não podemos nada. Não sabemos de tudo. Não temos os melhores planos, sonhos, estratégias nem recursos. Mas Deus, este sim, pode tudo e mais um pouco.

Querido Deus, muito obrigado por cuidar de mim e não se cansar de planejar um futuro brilhante para a minha vida. Abro espaço para que o Senhor seja livre para cumprir tua boa, perfeita e agradável vontade em minha história. Peço que me ensines a confiar e entregar a ti o controle de tudo. Quero ser obediente e aprender a descansar no teu amor e bondade. Eu te amo. Em nome de Jesus, amém.

14

dia quatorze

QUEM TEM PRESSA COME CRU

O LIVRO DE ÊXODO é estruturado em cima de algumas temáticas principais, como a opressão e escravidão do povo de Deus no Egito, a preparação de Moisés como libertador, a redenção e libertação dos hebreus, a educação que receberam no deserto por meio de testes e provas, a consagração desse povo no Sinai pelos mandamentos, a construção do tabernáculo e a cultura de adoração.

Durante esse longo período, aquelas pessoas foram testemunhas dos milagres que ocorreram no Egito, das incalculáveis provisões de sustento e dos atos de fidelidade de Deus; conheceram-no mais profundamente, receberam promessas dele, uma identidade e uma nova conexão com o Senhor. A Palavra nos conta que, após ter sido liberto das garras dos egípcios e atravessar o mar Vermelho, o povo de Israel saiu para o deserto de Sur, andou por três dias e não encontrou água.

Quando chegaram à cidade de Mara, contudo, não puderam beber das águas de lá porque eram amargas. Rapidamente, os hebreus passaram a murmurar contra Moisés, que clamou ao Senhor e, obedecendo as coordenadas dele, viu-o transformar as águas amargas em doces. A caminhada até aquela cidade foi de três longos dias pelo deserto. O interessante é que o próximo destino do povo foi Elim, que, de acordo com alguns estudiosos, ficava a pouco mais de dez quilômetros de Mara. Para completar o raciocínio, a Bíblia nos diz que em Elim havia doze fontes de água e setenta palmeiras. Isso me faz pensar que, talvez, o plano de Deus fosse levar os israelitas diretamente para Elim; entretanto, além de terem parado em Mara, se precipitaram e começaram a reclamar em vez de confiar em Deus e clamar a ele pelo que precisavam.

Essa questão geográfica é muito esclarecedora. O destino do povo era Canaã; porém, no trajeto, eles decidiram parar em Mara, sendo que Elim, um lugar de descanso, com palmeiras e água em abundância, ficava um pouco mais à frente.

O problema de nos precipitarmos é que trocamos Elim por Mara. Em outras palavras, todas as vezes que nos precipitamos em tomar decisões, falar ou agir, trocamos a água doce pela amarga. Então, ao experimentarmos e percebermos o seu gosto ruim, reclamamos a Deus, como se fosse culpa dele não ter preparado algo do jeito e na hora que queríamos.

A maioria dos sufocos que passamos na vida são ocasionados por falta de sabedoria na hora de decidir. Somos, muitas vezes, precipitados e, em vez de orarmos e pedirmos a direção divina, tentamos agir conforme achamos melhor e mais inteligente. Tudo seria diferente se aprendêssemos a esperar, se orássemos antes de fazer qualquer escolha, se valorizássemos mais a vontade de Deus do que a nossa.

A precipitação pode nos fazer colher resultados que não gostaríamos. Um exemplo claro disso é daqueles que se casaram mal por não saberem esperar. Se tivessem aguardado um pouquinho mais, poderiam ter casado com um príncipe ou uma princesa; mas, pelo desespero, decidiram meter os pés pelas mãos e, agora, terminaram com um sapo ou uma Fiona. Na vida, é assim mesmo: nós pagamos um alto preço quando paramos em um local, mas deveríamos estar caminhando; quando deveríamos nos calar, mas decidimos falar; quando agimos no momento em que tínhamos de ter aguardado o sinal de Deus. Em todas as ocasiões que nos precipitamos, passamos vergonha, é comum. Aliás, sobre isso, a Bíblia cita um provérbio que eu acho maravilhoso: "Até o insensato passa por sábio quando fica calado; de boca fechada, até parece inteligente". (Provérbios 17.28, NVT).

Não faça papel de tolo se precipitando, seja sábio e espere a direção do alto. As Escrituras estão repletas de narrativas de pessoas que se precipitaram e colheram consequências ruins por causa de suas escolhas. A história de Isaque e Ismael é uma delas. O Senhor havia prometido um filho para Abraão e Sara, que já eram avançados em idade. O espanto foi tamanho ao escutarem aquela promessa, que Sara riu, desacreditando que tivesse ouvido corretamente o que o Senhor dissera. Qual era a única coisa que eles precisavam fazer? Esperar. Mas eles falharam na missão.

Com a demora da concretização do que lhes havia sido prometido, Sara teve a brilhante ideia de convencer seu marido a se deitar com sua serva e gerar um filho. Dessa relação precipitada, nasceu Ismael, que deu origem ao povo árabe. Isaque, por outro lado, deu início ao povo judeu, concretizando a promessa. Acontece que o fruto da precipitação de Abraão e Sara gerou uma guerra ao longo da história que dura até hoje. Não há dúvida de que Deus também ama e se importa com os descendentes de Ismael, mas, quem sabe, essa história poderia ter terminado de forma bem diferente se um homem e uma mulher não tivessem se precipitado.

Para toda a ação existe uma reação, e, se hoje pudesse dar um conselho a você, eu diria: Antes de tomar qualquer decisão importante, que tem o poder de mudar o seu destino, pare para pensar e perguntar para o Senhor qual é a vontade dele. Essa é a diferença entre uma pessoa precipitada e alguém que age de maneira premeditada. Deus já planejou nossa história, mas cabe a nós buscar os caminhos, planos e a presença dele para acessar aquilo que nos foi preparado.

Há cerca de um ano, eu estava planejando e estruturando a nossa Associação Evangelística, encarregada de discipular e ajudar novos convertidos no início da caminhada com Cristo — afinal, é isso o que importa, e é por esse motivo que eu, minha família e minha equipe fazemos o que fazemos. Precisávamos de um espaço físico para a Associação e desejávamos alugar ou adquirir. Foi aí que a proposta tentadora bateu na minha porta. Naqueles dias, recebi a ligação de um amigo muito próspero que me perguntou como estava a nossa instituição. Respondi que tudo fluía bem, mas que estávamos atrás de um lugar para alugar. Sem delongas, ele me disse para procurar o prédio, porque nos daria de presente. Agradeci, glorifiquei a Deus e, pouco tempo depois, encontrei o local, que custava três milhões de reais. Liguei para o meu amigo, passei os detalhes, e ele autorizou a compra. Mais uma vez, glorifiquei ao Senhor, empolgado. A única coisa que não fiz foi perguntar para o Senhor o que deveria fazer acerca daquela situação.

O fato de ter condições não significava que essa era a melhor decisão a se tomar. Na realidade, é aí que mora o problema. Quem se move pelo que é óbvio vive de maneira precipitada e pode terminar com um final que não esperava. Se você deseja viver o sobrenatural, tenha certeza de que ele, muitas vezes, se apresentará de maneira muito diferente das suas expectativas e, consequentemente, do que é óbvio. Permita-se ser surpreendido por Deus. Não tente viver pelo óbvio, pelo que já está calculado, pelo que você pode resolver e fazer acontecer, porque isso é chato e sempre nos levará à mediocridade.

No dia em que fui visitar o prédio, após ligar para o meu amigo, estava descendo uma das rampas do espaço quando senti o Espírito Santo falar ao meu coração: "Vai ser assim? Sem nem me perguntar?". Senti essas palavras ecoando de maneira tão clara, que era como se alguém estivesse falando comigo em voz alta. O corretor de imóveis, logo em seguida, me perguntou: "E aí, vai ficar com o prédio?". Imagine a cara daquele homem no instante em que eu lhe disse que precisava orar e, se Deus não

É melhor esperar a resposta do Senhor, ainda que demore.

me desse uma resposta em 24 horas, eu não compraria. Até aquele momento, as coisas estavam fluindo tão bem que, provavelmente, na cabeça daquele corretor, a compra era certa.

Assim que nos despedimos, atravessei a rua e fiquei na frente do espaço que desejava adquirir. Na calçada mesmo, dobrei os meus joelhos e comecei a orar para que o Senhor me desse uma resposta. Não estava preocupado com as pessoas nem com o que achariam de mim. Ali, clamei: "Deus, temos o dinheiro, temos o lugar, mas eu me recuso a seguir em frente sem a tua resposta. Se o Senhor não me der um sinal ou uma resposta em 24 horas, eu não vou comprar". Se passaram 12, 15, 20 horas, até o relógio bater 24h. Nada. Não obtive nem uma resposta. Nem um mísero rastro de uma pequena evidência.

Então, o corretor me ligou, perguntando se Deus havia falado comigo, e eu lhe contei a verdade. Rapidamente, sem entender a importância daquele aval para mim, o corretor perguntou se eu aceitaria comprar o local se ele melhorasse as condições de pagamento. Não tinha a ver com os recursos ou quaisquer outros motivos senão com a resposta divina. Deus não é omisso. Silêncio não é resposta ou consentimento para tomarmos a decisão que achamos mais assertiva; silêncio é sinônimo de espera. Ponto final.

Portanto, grave estas palavras: é melhor esperar a resposta do Senhor, ainda que demore, do que tomar uma decisão precipitada e colher péssimas consequências a vida inteira. Acalme o seu coração, silencie a sua alma, não faça o que ainda não está no tempo de fazer, não decida, não vá, não toque, não pegue até que haja uma resposta de Deus, porque ser precipitado custa muito caro.

Passos práticos

1. Analise a sua vida e pergunte para o Espírito Santo se você, geralmente, é alguém precipitado. Em seguida, faça a mesma pergunta para pessoas próximas e de confiança, e peça conselhos para seus pais ou líderes da sua igreja local sobre como desenvolver essa área da sua vida.

2. Faça um estudo do livro de Provérbios durante um mês e foque nos capítulos e versículos que abordem a precipitação. Anote tudo em um caderno.

3. Plante uma pequena sementinha de flor, regue-a e cuide dela todos os dias até florescer. Enquanto estiver se desenvolvendo, ore e peça para que Deus ministre ao seu coração e lhe traga ainda mais revelação a respeito da importância do processo de espera em sua vida.

15

dia quinze

A TAL DA ANSIEDADE

ANSIEDADE. NOVE LETRAS QUE evocam sentimentos demais para serem descritos em um espaço tão curto como este. Talvez poucos assuntos sejam mais explorados e abordados hoje em dia do que os transtornos mentais. Não por acaso, muita gente me pergunta se ansiedade é falta de fé. E esse questionamento, com toda certeza, é um beco sem saída, porque exige uma resposta preparada, já que, se escolhemos um lado, podemos acabar excluindo o outro. Uma coisa é fato: cada caso é um caso. O importante é sabermos analisar a nossa própria vida e entender onde estamos em cada temporada.

É claro que existe ansiedade que é falta de fé. Mas a patologia também é real e não pode ser ignorada, principalmente por gerar crises e sintomas físicos, como coração acelerado, insônia, aperto no peito, falta de ar, tremedeiras e tantos outros. Graças a Deus, temos médicos e psicólogos que estudam e podem ajudar nesses tratamentos. Não sou especialista, mas é importante deixar claro que tanto o acompanhamento psicológico adequado quanto o espiritual são imprescindíveis para que essa melhora aconteça. Ninguém precisa ficar preso a isso pelo resto da vida. Quem quer que seja pode e deve se desenvolver, evoluir e superar as causas que o fizeram chegar até esse estado ansioso.

Em contrapartida, muitas vezes, o que diversas pessoas enfrentam diariamente não é uma doença, mas a velha e óbvia falta de fé. Foi por isso que Jesus nos alertou:

> "Não se preocupem com sua própria vida, quanto ao que comer ou beber; nem com seu próprio corpo, quanto ao que vestir. [...] Observem as aves do céu: não semeiam nem colhem nem armazenam em celeiros; contudo, o Pai celestial as alimenta. Não têm vocês muito mais valor do que elas? Quem de vocês, por mais que se preocupe, pode acrescentar uma hora que seja à sua vida? [...] Pois os pagãos é que correm atrás dessas coisas; mas o Pai celestial sabe que vocês precisam delas. [...] Portanto, não se preocupem com o amanhã [...]. Basta a cada dia o seu próprio mal" (Mateus 6.25-27,32,34, NVI).

A maneira como percebemos o mundo reflete diretamente na forma como encararemos as situações. A Bíblia é clara ao nos instruir contra a ansiedade, pois ela é, de fato, o oposto do estilo de vida que você e eu somos chamados a viver com Cristo. A ansiedade, nesses casos, é fruto do ambiente externo a que somos expostos, mas o modo como responderemos só pode ser consequência do que construímos — ou não — internamente antes dos acontecimentos.

Quando Cristo nos trouxe essa reflexão e esse direcionamento acerca da ansiedade, de maneira alguma, fazia essa repreensão como se desconhecesse ou estivesse aquém dos desafios da nossa humanidade. Jesus, ao encarnar, era cem por cento Deus e cem por cento homem, o que significa que ele experimentou completude de humanidade tanto quanto conhecia e vivenciava a divindade. Colocando em outros termos: o mesmo Cristo que suou sangue tamanha a pressão, angústia e o desespero ao imaginar a cruz do Calvário, foi aquele que nos orientou a não trilhar o caminho da preocupação, como os descrentes fazem.

Pelo contrário, 1Pedro nos ensina:

> Lancem sobre ele toda a sua ansiedade, porque ele tem cuidado de vocês. [...] Resistam-lhe [Diabo], permanecendo firmes na fé, sabendo que os irmãos que vocês têm em todo o mundo estão passando pelos mesmos sofrimentos. O Deus [...] que os chamou para a sua glória eterna [...], depois de terem sofrido por pouco tempo, os restaurará, os confirmará, os fortalecerá e os porá sobre firmes alicerces (1Pedro 5.7,9,10, NVI – acréscimo do autor).

A ansiedade foi feita para ser lançada aos pés de Cristo, e não guardada a sete chaves em nossa alma. Agora, convenhamos: muitas dessas preocupações, angústias e inquietações têm atingido o povo de Deus com muito mais intensidade, porque temos nos alimentado das coisas erradas. Damos mais ouvidos e moral às tragédias midiáticas, às opiniões alheias, aos assuntos que inundam as redes sociais, à moda, aos pessimistas, aos filmes e às músicas do que à Palavra de Deus. O excesso de futuro que o indivíduo ansioso carrega dentro de si resulta de uma soma de fatores; mas, talvez, o maior deles seja a escassez de Bíblia em seu coração. Foi em razão disso que o salmista escreveu:

> Guardei tua palavra em meu coração, para não pecar contra ti. Eu te louvo, ó Senhor; ensina-me teus decretos. Recitei em voz alta todos os estatutos que nos deste. [...] Meditarei em tuas ordens e refletirei sobre teus caminhos. [...] Tenho prazer em teus preceitos; eles me dão conselhos sábios (Salmos 119.11-13,15,24, NVT).

Quem não tem as verdades bíblicas cravejadas em seu coração é levado de um lado para o outro por toda e qualquer falácia ou circunstância. A Bíblia é a verdade absoluta e incontestável. A firmeza das palavras de Deus é o que nos sustenta neste mundo confuso, volátil e cheio de trevas. Foi por conta das Escrituras e da vida de oração que os heróis da fé, os pais da igreja, os mártires e todos os homens e mulheres de Deus de que já ouvimos falar tiveram sucesso em sua caminhada de fé. Não foi sorte. Nem mesmo uma "pré-seleção" divina para que isso ocorresse. A diferença entre eles e muitos que se dizem cristãos hoje está em apenas dois pontos: perseverança e comprometimento com o padrão divino. Ninguém é capaz de conquistar nada sem esforço; e, quando aplicamos essa verdade à trajetória cristã, somamos a isso o comprometimento e a seriedade que envolvem a busca por Deus e pelo seu Reino.

Muitos querem Jesus, mas não desejam carregar sua cruz. Isso não existe. Cristianismo, como bem disse o respeitado escritor e apologeta C. S. Lewis, não é uma religião que eu o aconselharia a seguir se estiver à procura de conforto.

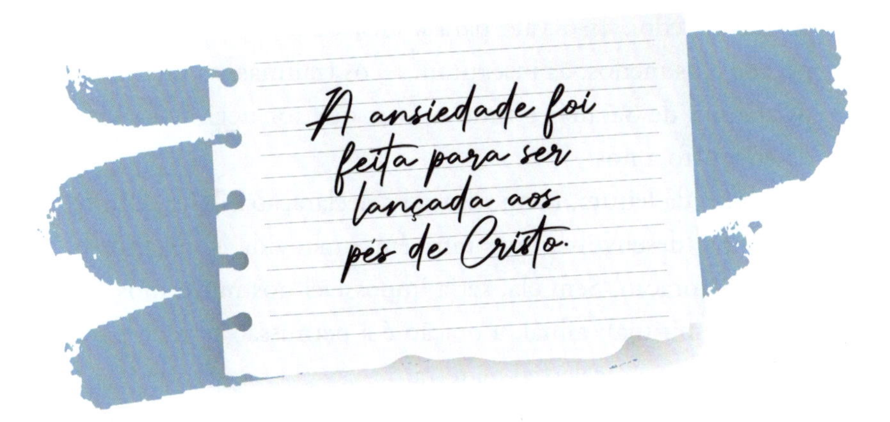

Por outro lado, jamais encontraremos tamanha dimensão de paz, esperança, alegria, consolo e descanso como ao nos posicionarmos com seriedade nesta jornada com Cristo.

Para descansar, é necessário ter segurança e convicção de que tudo está bem. E o que nos garante ambas é a Palavra. Ainda que a desordem e a balbúrdia externas estejam instauradas, a Bíblia nos promete que:

> *Aquele que habita no esconderijo do Altíssimo, à sombra do Onipotente descansará.* [...] Porque ele te livrará do laço do passarinheiro, e da peste perniciosa. [...] Mil cairão ao teu lado, e dez mil à tua direita, mas tu não serás atingido. [...] Nenhum mal te sucederá, nem praga alguma chegará à tua tenda. [...] Ele me invocará, e eu lhe responderei; estarei com ele na angústia; livrá-lo-ei, e o glorificarei. Dar-lhe-ei dias com abundância e lhe mostrarei a minha salvação (Salmos 91.1,3,7,10,15,16, ARC).

Saber a verdade liberta. Quanto mais tivermos a Palavra de Deus em nosso coração e soubermos usá-la como a arma de guerra que ela é, menos seremos afetados pelo que acontece ao nosso redor. Isso vale para a ansiedade, a depressão, os pecados, os medos, as inseguranças, os traumas, as mentiras, os ataques de Satanás e tudo o mais que for negativo e vier de encontro a nós.

Além da leitura, memorização e declaração bíblica, é fundamental desenvolvermos também uma vida constante e sólida de oração. Sem ela, seria impossível nos movermos no mundo espiritual; afinal, a oração é a permissão terrena para uma intervenção celestial na terra.

Deus não falha. A Palavra dele não mente, não erra nem volta vazia. Quando oramos, somos ouvidos e respondidos pelo Senhor. Nossos planos podem se frustrar, nossa vida pode estar bagunçada, e todas as nossas estratégias podem ter ido pelo ralo; porém, os que andam com Deus desfrutam do privilégio de descansar nele e usufruir da verdadeira paz. Para estes, a vitória é certa. Embora não estejam imunes aos sofrimentos, lutas e perseguições, e o triunfo possa demorar, o seu fim é cheio de paz, alegria e justiça. Portanto, não fique ansioso por coisa alguma. Entregue ao Senhor, descanse e faça a sua parte. Do mesmo jeito que os problemas vêm, eles também vão. Contudo, "[os] que confiam no Senhor são como o monte Sião, que não se abala, mas continua firme para sempre" (Salmos 125.1, NAA).

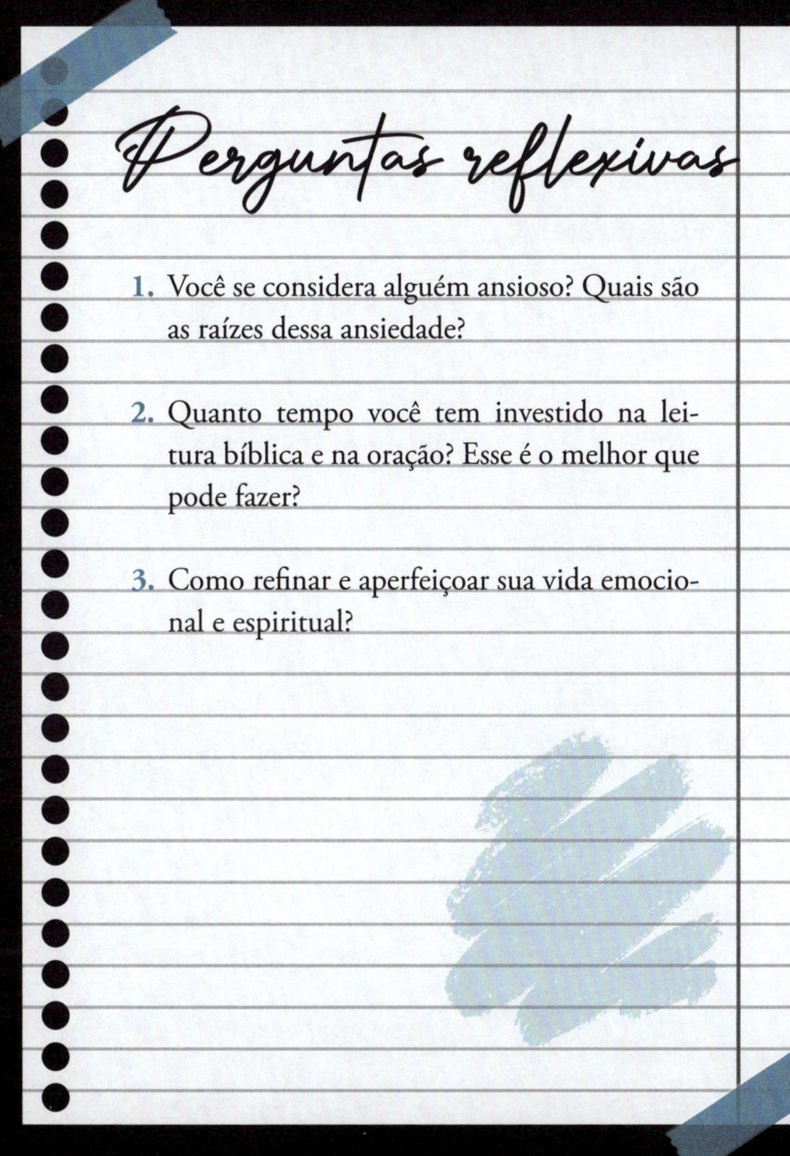

Perguntas reflexivas

1. Você se considera alguém ansioso? Quais são as raízes dessa ansiedade?

2. Quanto tempo você tem investido na leitura bíblica e na oração? Esse é o melhor que pode fazer?

3. Como refinar e aperfeiçoar sua vida emocional e espiritual?

16

dia dezesseis

BRILHO NOS OLHOS

FOI EM UMA MANHÃ de abril que coloquei uma pregação *on-line* de um amigo meu para escutar e, de súbito, fui atingido pelo Espírito Santo. Enquanto compartilhava sua história, meu amigo contou que, certo dia, estava de passagem pela cidade em que havia morado quando criança. Ali, tinha recebido Jesus em seu coração, congregado na igreja local com seus pais — que eram pastores —, servido como voluntário e vivido boa parte de sua adolescência. O tempo passou e a família se mudou; hoje, a vida deles era outra, e, naquela ocasião, ao voltar para aquela cidade, casado e conhecido pelo Brasil afora, meu amigo sentiu uma vontade repentina de visitar a igreja da qual era membro quando criança. Ao perceber a movimentação, sem entender, sua esposa lhe perguntou por que estava se arrumando. Ele sorriu, um tanto abatido, e lhe respondeu que ia para igreja. Quando ela lhe perguntou o motivo daquela decisão instantânea e o fato de querer ir sozinho, meu amigo apenas afirmou: "Eu *tô* indo procurar o menino".

No minuto em que ouvi aquela frase, desatei a chorar. Não consegui mais continuar a pregação. Eu sabia exatamente do que ele estava falando. Sentia saudade de um menino também. Entre lágrimas e com uma presença densa do Espírito Santo no cômodo em que eu estava, comecei a lembrar da minha história. Onde estava o menino Deive? Onde estava o garoto que acordava às três e meia da manhã para orar? Onde estava o menino que vivia no monte fazendo campanha? Onde estava aquele menino que, quando falava de Jesus, não precisava estar em um palco para chorar? Onde estava o garoto apaixonado por Deus que ia e voltava da faculdade orando, lendo a Bíblia, e era encontrado pelo Senhor no trajeto? Onde estava o menino que, no meio da aula, sentia a presença do Espírito Santo e tinha que sair para chorar? Onde estava aquele menino?

Às vezes, nós nos ocupamos tanto com a obra que esquecemos do dono da obra. Estamos tão atarefados com as missões dadas pelo Senhor que acabamos nos esquecendo que ele é mais importante do que qualquer tarefa delegada. Deus vale mais do que a nossa vocação, do que o nosso chamado e propósito. Ele é superior a tudo e todos. Nada é tão precioso e digno.

A passagem de Lucas 10 nos faz refletir justamente nessa verdade que, por vezes, perdemos de vista. Marta e Maria eram irmãs de Lázaro, e a família se tornou muito próxima de Cristo. Em uma de suas andanças, Jesus passou pela aldeia em que moravam, e a Bíblia nos diz que Marta o recepcionou em sua casa. Imagine receber o Salvador do mundo para uma visita. Que honra e responsabilidade. Com a melhor das intenções — acredito eu —, Marta muito provavelmente começou a se perguntar sobre o que o Filho de Deus gostava de comer, como necessitava limpar a casa, a arrumar o máximo que conseguisse e a deixar tudo bonito e cheiroso para o Mestre.

Entendo bem Marta, porque minha mãe era muito parecida. Hoje, ela mudou demais e não age mais assim, mas eu me lembro de quando era mais novo e não podia levar ninguém em casa sem avisar com bastante antecedência. A minha mãe odiava ser pega de surpresa e sempre ficava muito brava se eu chegasse com alguém do nada. Isso, porque ela tinha que passar pano, tirar o pó, lavar toda a louça e liquidar todo e qualquer serviço de casa antes que as visitas chegassem. Quando penso em Marta, presumo que ela fosse um pouco assim também.

Trabalhar, arrumar a casa e se dedicar à limpeza ou quaisquer outros serviços não é errado. Aliás, a própria Bíblia condena os preguiçosos e incentiva o trabalho, a dedicação e a excelência. O problema nesse trecho da história está no detalhe que o autor do livro de Lucas destacou ao mencionar que Marta, envolta em muitas tarefas, começou a se distrair com os serviços.

> *O que não é prioridade nos leva a perder o brilho nos olhos.*

Jesus era uma visita importantíssima e merecia a melhor recepção, mas os afazeres acabaram se tornando mais importantes do que a sua própria presença na casa. Maria, irmã de Marta, por sua vez, escolheu deixar tudo de lado e assentar-se aos pés de Cristo para absorver os ensinamentos e desfrutar da presença dele. Ela, como disse o Mestre, escolheu a boa parte.

Toda vez que leio essa história, consigo imaginar o brilho nos olhos de Maria ao estar diante daquela figura tão poderosa, forte e disputada. O homem com a agenda mais concorrida da época havia decidido entrar na casa dela e passar tempo com ela. Como poderia preferir dar atenção a qualquer coisa que não fosse a presença dele? Como poderia escolher realizar tarefas que o beneficiariam se, quando ele estava presente no local, não era valorizado?

A maior loucura desse relato é saber que isso continua acontecendo ainda hoje. É possível termos convidado Jesus para a nossa casa, ele estar presente, e não desfrutarmos da companhia dele por priorizarmos outras coisas. Essa é a fórmula para o fracasso. Muitas pessoas trabalham para Deus, mas ele não tem o coração delas; tem o serviço, as habilidades e, até mesmo, o dinheiro, mas o coração está distante dele. Cristo está na casa, mas é ignorado e substituído por qualquer coisa desimportante e sem valor. Estes, infelizmente, apesar de poderem ter boas intenções, acabam, inevitavelmente, perdendo o brilho nos olhos.

Eu sou um pregador que ama a Jesus; mas, se eu só pregar sobre ele e não vivê-lo, os meus olhos irão parar de brilhar uma hora ou outra. Digo isso porque, quando fazemos algo que Deus nos chamou e nossas prioridades estão alinhadas com o Reino celeste, há brilho em nossos olhos, há graça e leveza em nossos dias, de um jeito que as pessoas podem não saber explicar o que é, mas elas reconhecem que existe algo diferente em nós. Contudo, da mesma forma como tem pessoas que desfrutam dessa realidade, há muitas outras que perderam o brilho nos olhos; já foram apaixonadas, já foram extremamente

Não permita que as propostas sejam superiores ao seu propósito e à presença de Deus em sua vida.

conectadas a Deus, já tiveram prazer no Senhor, já viveram diversas experiências e até choravam ao falar do nome de Jesus; mas, agora, seus olhos estão opacos e vazios. Qualquer área de nossa vida de que não cuidamos poderá nos levar a perder o brilho nos olhos. Basta escolhermos o que não é a prioridade.

Marta estava com o Verbo vivo em sua casa e não ouviu nenhuma palavra que ele dissera; ela não se permitiu ser transformada pela presença do Cristo prometido; e, ainda por cima, começou a se irritar com Maria. Quando estamos ocupados com aquilo que não é prioridade, além de perdermos o brilho nos olhos, nos indignamos com quem está com os olhos brilhando. Foi por isso que Marta se dirigiu a Jesus e pediu-lhe que repreendesse sua irmã por deixá-la trabalhando sozinha.

Sim, o trabalho é importante, mas não pode ser mais prioridade do que Jesus. A obra é secundária, tudo é secundário se comparado a Cristo; pois, se o tivermos como nosso tesouro, teremos tudo e poderemos realizar o que quer que seja com brilho nos olhos. Se Jesus é nossa prioridade, trabalhamos melhor, desejamos nos santificar e não enxergamos isso como peso, não nos cansamos de fazer o bem, vemos propósito na dor e no sofrimento, temos esperança, somos amáveis, alegres e capazes até de orar por aqueles que nos perseguem.

Não acontece do nada. É o tempo que passamos com Deus que nos transforma e faz nossos olhos brilharem.

Naquele dia, ao escutar a pregação do meu amigo, saí à procura do menino Deive, aquele que tinha um brilho constante no olhar. E vou lhe falar uma coisa: eu o encontrei. Ele não havia se perdido; ainda morava dentro de mim. Contudo, o adulto — na ânsia de pregar mais, de gravar conteúdo, de trabalhar, de viajar, de cuidar das contas e de resolver problemas — quis calar o menino. Mas, pela graça de Deus, ele estava lá para me lembrar do que realmente importa.

Maria escolheu a melhor parte, e isso, conforme disse Jesus, não poderia ser tirado dela. Foi por essa razão que ele defendeu Maria em vez de Marta. Não se distraia. Não permita que as propostas sejam superiores ao seu propósito e à presença de Deus. Mantenha o coração de criança sempre disponível e atento à voz do Pai; pois, só assim, você permanecerá com os olhos brilhando.

Desafio

Saia à procura do(a) menino(a) hoje. Durante três dias, escolha uma refeição diária ou algo que você goste muito de comer, estabeleça um jejum e foque na presença de Deus sem falhar. Não peça nada, apenas clame por mais dele na sua vida.

Além disso, busque um plano de leitura bíblica e seja constante nesse compromisso. Em seguida, reorganize suas prioridades. Analise todas as áreas de sua vida e peça a direção do Espírito Santo para planejar sua agenda de maneira saudável e equilibrada, elencando cada coisa por ordem de importância.

Não se esqueça de anotar tudo o que Deus falou com você ao longo desses dias.

Lembre-se: biblicamente, jejum é quando nos abstemos de alimentos ou refeições para que a nossa carnalidade seja abafada e, assim, nos tornemos mais sensíveis no espírito. Podemos também fazer propósitos com Deus, em que separamos algo que importe muito para nós — que seja um sacrifício — e entregamos a ele, como, por exemplo: um tempo sem redes sociais ou internet. É fundamental mencionar que tanto um quanto o outro não servem como uma forma de barganharmos com Deus, mas são entregas voluntárias para que possamos nos aproximar dele e ouvi-lo melhor. Por outro lado, não se esqueça: para ouvi-lo, precisaremos, necessariamente, orar mais e ler mais a Palavra.

17

dia dezessete

MAIOR QUE A DOR

NA VIDA, TEM UMA porção de coisas que podem nos paralisar, bloquear, atrasar e roubar a alegria e a certeza do nosso chamado divino. Às vezes, são palavras mal-intencionadas, brigas, inseguranças, medos, mentiras, e a lista continua. Para todo aquele que segue firme e fiel no cumprimento do seu propósito, é certo que, em algum momento, a oposição virá. E é bom que seja assim, afinal, essa é também uma garantia de que estamos atacando as trevas e fazendo a diferença. Se, normalmente, já temos dificuldades e obstáculos, quanto mais a partir do instante em que nos posicionamos para realizar os planos de Deus em nossa vida. Não foi por acaso que Cristo disse:

> "Eu lhes disse essas coisas para que em mim vocês tenham paz. Neste mundo vocês terão aflições; contudo, tenham ânimo! Eu venci o mundo" (João 16.33, NVI).

Nosso problema é idealizarmos demais esta vida; é pensarmos que o auge da nossa existência na terra é alcançar toda a felicidade, o amor, as conquistas materiais, o conforto e o reconhecimento humano possível. Então, quando isso não acontece, nos frustramos, esmorecemos e nosso coração se abate, pois rabiscamos uma ideia fictícia e equivocada acerca do que é viver. Jesus nunca disse que teríamos uma vida sem sofrimento, dor e perseguição. Na verdade, ele nos alerta justamente para o fato de que isso iria acontecer, mas que poderíamos nos alegrar, pois já sabemos o fim da história.

A nossa casa não é aqui. Isso não quer dizer, obviamente, que não devemos dar o nosso melhor neste mundo, nos esforçarmos, sermos bons como profissionais, pais, mães, cristãos, e sempre buscarmos a excelência em tudo. Entretanto, lembrar que o nosso destino é o céu muda radicalmente a maneira como encaramos nossa vida na terra. Quando entendemos o convite que nos é feito por meio de Cristo, não tem como nossas prioridades não serem alinhadas e nosso coração transformado diante das verdades e dos tesouros do evangelho. Diante da presença do Rei e da glória que nos aguardará no Reino, tudo na terra dos viventes se torna desimportante.

Essa era a grande força motriz que impulsionava homens e mulheres na história da Igreja e não lhes permitia desistir ou sucumbir. Nenhum deles focava nos aplausos ou vaias, porque essas coisas vêm e vão. O seu propósito e a sua identidade no Senhor, porém, permaneciam constantes. Eles se recusavam ser guiados por sentimentos ou quaisquer circunstâncias exteriores e, por isso, cumpriam o propósito.

Estêvão, o primeiro mártir das Escrituras, é um homem que me constrange demais. E ele compreendeu e viveu esse

Seja constante!

conceito muito bem. No livro de Atos, a igreja primitiva estava pujante, poderosa, influente, crescente e tinha frutos maravilhosos, e, assim como acontece com algumas pessoas quando começam a se destacar, uma organização que cresce também pode irritar alguns. A Bíblia nos relata que as autoridades judaicas estavam incomodadas com a igreja, assim como se incomodaram com Jesus, em sua época, do mesmo modo como outros se incomodaram com Moisés, com Davi, com Jeremias e tantos mais que Deus levantou. Sempre existirá alguém extremamente incomodado com aqueles que se levantam para cumprir o chamado do Senhor em sua vida.

Com o crescimento exponencial e o trabalho eclesiástico sem fim, os apóstolos sentiram a necessidade de ordenar sete homens de caráter para servir e auxiliar na igreja, e um desses rapazes foi Estêvão, que, apesar dos poucos relatos bíblicos a seu respeito, é descrito nas Escrituras como um homem cheio de fé e do Espírito Santo. Essa, acredito eu, é uma das características mais importantes em alguém, pois não é o talento, o bom nascimento, o nome da família, a beleza, ou o quanto a pessoa é carismática, mas é a presença do Espírito Santo que nos torna mais e mais convictos do que estamos fazendo e por que estamos fazendo.

Estêvão não só tinha certeza do seu chamado, mas também a segurança do porquê e como deveria fazer o que havia sido proposto por Deus. Cumprindo a sua vocação celestial, é claro, não demorou muito para começar a ser perseguido.

A Bíblia nos diz que ele se movia em sinais e maravilhas, e que o Espírito de Deus lhe dava sabedoria para que ele ganhasse todas as discussões de que participava. Contudo, alguns homens mal-intencionados pagaram algumas pessoas para afirmar terem ouvido Estêvão dizer blasfêmias contra Moisés e contra Deus. Foi dessa maneira que eles atiçaram o povo, os líderes e os mestres da Lei, que o capturaram e levaram ao conselho superior.

O íntegro e fiel Estêvão foi condenado à morte por apedrejamento, uma execução cruel e lenta. Pense só, ser agredido por inúmeras pessoas lhe tacando pedras em todas as partes do seu corpo, ao mesmo tempo em que o insultam com palavras horrendas e lhe desferem golpes, chutes, cuspes e outros tipos de violência. Imagine a dor por cada pedra rasgando seus braços, suas pernas, sua cabeça, seu rosto... o peso daquelas rochas — que não eram pequenas —, o seu formato bruto e pontiagudo causando hematomas que evoluíram para ferimentos e, após os constantes golpes das pedras, se tornaram cortes abertos que jorravam sangue. Agora pense em sofrer toda essa agonia, injustiça, tortura, ser vítima de todo esse ódio, raiva, agressão, selvageria e, ainda por cima, orar em favor dos seus agressores. Foi o que Estêvão fez. A Escritura narra essa história dizendo:

> Enquanto apedrejavam Estêvão, este orava: "Senhor Jesus, recebe o meu espírito". Então caiu de joelhos e bradou: "Senhor, não os consideres culpados deste pecado". E, tendo dito isso, adormeceu (Atos 7.59,60, NVI).

Pouco antes de sua morte, cheio do Espírito Santo, o livro de Atos nos diz que Estêvão levantou os olhos para o céu, viu a glória do Pai e Jesus de pé, à direita de Deus, e disse: "Vejo o céu aberto e o Filho do homem de pé, à direita de Deus". Foi dessa forma, contemplando a glória de Deus, com os olhos fixos em Jesus, que aquele homem virtuoso foi morto. O que me choca nesse relato é: como alguém que está sendo apedrejado, torturado e maltratado nesse nível pode ter uma atitude como essa? Apenas alguém cheio do Espírito Santo é capaz de responder dessa maneira diante de uma atrocidade cruel.

Não sei se você sabe, mas ainda hoje existem milhares de cristãos perseguidos no mundo. Não me refiro a *bullyings*, zombarias ou chateações que às vezes experimentamos quando nos posicionamos firmemente em favor da nossa fé. Menciono as dezenas de milhares de pessoas que, ao entregarem sua vida ao Salvador do mundo, passam a sofrer torturas

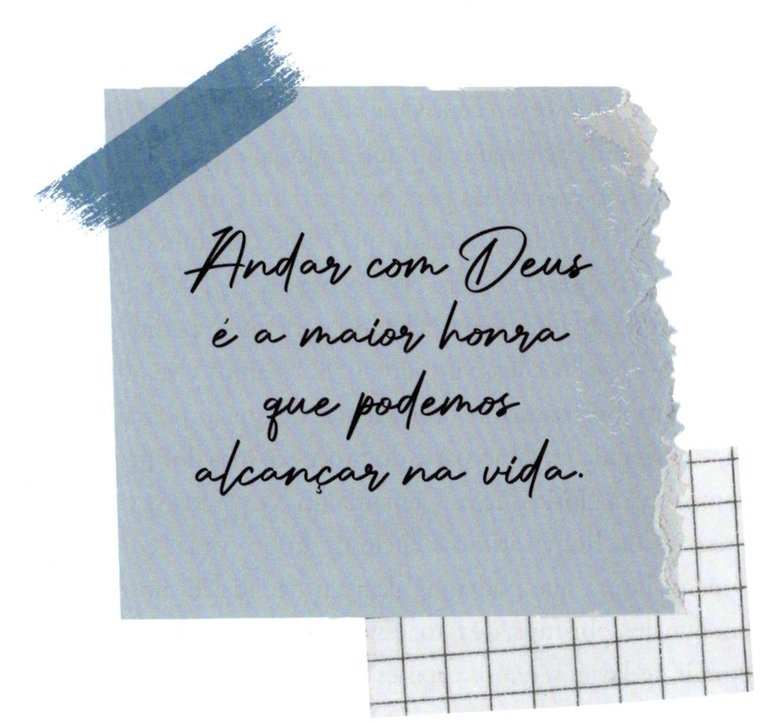

e mortes que muitos de nós não teríamos coragem nem de ouvir as histórias até o final. Homens e mulheres de Deus que têm partes de seus rostos e corpos queimados por ácidos, que são chicoteados, mutilados, espancados, deserdados e banidos de suas famílias, estuprados, presos, escravizados, queimados vivos, além de sofrerem torturas que sequer sabíamos ser capazes de existir. Pessoas que levam em seu corpo as marcas de amor por Cristo.

Certa vez, ouvi dizer que, em uma dessas penas de morte realizadas em países perseguidos, os carrascos decidiram mudar o método de execução, pois os cristãos que vinham sendo mortos eram torturados e chegavam ao fim de sua vida com um sorriso no rosto. Os executores, com raiva, por conta daquela reação, começaram a encapuzar os discípulos de Cristo para não serem obrigados a encarar a alegria em sua face mesmo diante da dor, aflição e agonia de seus corpos físicos. Que sofrimento atual pode ser comparado com a glória que desfrutaremos no céu? Que aflição, dor ou situação desesperadora pode ser maior do que a glória, esperança, alegria e paz que estão reservadas para nós eternamente?

Foi em vista dessa verdade que Paulo concluiu que "o viver é Cristo e o morrer é lucro" (Filipenses 1.21, NVI), e Estêvão, com um semblante de paz, clamou para que o pecado dos seus agressores não lhes fosse imputado. Se estamos vivendo o nosso propósito, precisamos ter consciência de que as pedradas, críticas e perseguições farão parte do processo, mas dor nenhuma se comparará à glória que nos aguarda no céu. Nada se compara à presença do Rei vitorioso e cheio de amor. Andar com Deus é a maior honra que podemos alcançar na vida. E, no momento em que descobrimos, de fato, essa verdade, as pedras podem nos atingir, todavia, seremos capazes de dizer como Paulo:

> Por isso nunca ficamos desanimados. Mesmo que o nosso corpo vá se gastando, o nosso espírito vai se renovando dia a dia. E essa pequena e passageira aflição que sofremos vai nos trazer uma glória enorme e eterna, muito maior do que o sofrimento. Porque nós não prestamos atenção nas coisas que se veem, mas nas que não se veem. Pois o que pode ser visto dura apenas um pouco, mas o que não pode ser visto dura para sempre (2Coríntios 4.16-18, NTLH).

Se os nossos olhos estiverem em Cristo, a percepção que temos da dor será diferente, porque, com Jesus, ela ganha um novo significado. Cada marca que recebemos em nossos corpos e em nossa alma são cicatrizes que nos tornam ainda mais parecidos com o Homem da cruz.

Em compensação, se as pedras começarem a doer demais, é provável que os nossos olhos não estejam voltados para o lugar certo. Se existe algo paralisando você, certamente, o seu foco não está direcionado para o alto, porque, enquanto estiver concentrado em Cristo e vivendo o propósito dele para a sua vida nesta terra, valerá a pena. Todo sofrimento por amor a Cristo vale a pena e é recompensado. Nunca se esqueça: se colocarmos em uma balança o sofrimento e a glória, o peso da glória sempre será incomparavelmente superior.

Prossiga, não pare, nunca retroceda, jamais volte atrás, porque o propósito e a vida cristã custam caro, mas a recompensa é eterna. E, quando as coisas estiverem difíceis, lembre-se do que disse Billy Graham: "Eu li a última página da Bíblia. Tudo vai dar certo".[1]

1. Frase atribuída a Billy Graham, grande evangelista, teólogo e pastor batista norte-americano.

Oração

Precioso e lindo Jesus, muito obrigado por me dar a honra de andar contigo. Agradeço por me permitir conhecê-lo e me mostrar com a tua própria vida que é possível ser fiel até o fim, apesar das dores e dos sofrimentos. Peço, por favor, que me dê coragem, força e garra para continuar e perseverar, sem me importar com o que irá acontecer. Tu és o meu alívio, a minha alegria, o meu consolo, a minha paz e esperança. Reconheço que a tua glória é superior à dor de todos os processos, e que a tua presença me capacitará a ser leal e obediente a ti por todos os meus dias. Tu és o meu alvo. Olharei para ti até o final. Nunca me deixes esquecer, Senhor, que tudo o que eu faço em vida é para ti, porque teu é o Reino, o poder e a glória para sempre. Em nome de Jesus, amém!

18

dia dezoito

A ARTE DE COMEÇAR

TER SABEDORIA E PRUDÊNCIA para agir são virtudes que todo mundo deveria buscar. Aliás, a Bíblia aborda sobre essa questão com tanta seriedade que nos instrui ser melhor obter sabedoria do que ouro, nos diz que ela é mais preciosa do que rubis, a coisa principal na vida, e que, por sua vez, habita com a prudência (Provérbios 16.16; 8.11,12; 4.7). O erro está em usá-las como desculpa para a procrastinação. O autor de Eclesiastes foi extremamente direto e sincero ao dizer que quem fica esperando demais o tempo, a temperatura e a pressão ideal nunca plantará nem colherá nada. É essencial sermos sábios e inteligentes para agir? Sim, mas aquele que fica esperando um exagero de sinais que confirmem minimamente cada passo nunca sairá do lugar ou conquistará alguma coisa.

O que precisamos é começar. Comece hoje, agora. Não fique dependendo da chuva, do vento, das pessoas ou do cenário perfeito. O perfeccionismo nunca levou ninguém muito longe, e, ao contrário do que alguns defendem, não é uma qualidade.

Por mais difícil que seja admitir, nunca teremos certeza do todo e estabilidade suficiente em todas as ocasiões ou decisões em nossa vida. Teremos que arriscar. Evidentemente, para toda e qualquer escolha podemos e devemos contar com a Palavra de Deus e o direcionamento do Espírito Santo, mas isso tem que ser seguido por um posicionamento nosso na prática. É necessário coragem para sair da inércia e entrar de cabeça nos projetos que o Senhor já nos revelou, além de fé para crer que, se ele nos guiou até aqui, continuará nos suprindo.

Em compensação, é bem verdade que, em alguns momentos, as coisas acontecem de uma hora para a outra e não há tempo de buscarmos diversas confirmações; é o que conhecemos, literalmente, como: "ou vai ou racha". Por esse motivo, carecemos tanto de estar conectados com Deus o tempo inteiro, porque quem anda com ele não é pego de surpresa. As propostas podem até surgir de repente, porém, sempre teremos um respaldo do céu acerca dos passos que precisamos dar.

Nunca teremos certeza ou controle absoluto sobre muitas coisas. Mas temos garantia e segurança em tudo que realmente importa: as coisas do alto. Nisso, não existem incertezas. O nosso destino, a vida eterna, a identidade de Deus, o que ele nos prometeu, a salvação e o amor dele por nós são alguns dos pontos imutáveis e firmes do cristianismo. Outros, porém, não temos como controlar.

Eu mesmo não tenho certeza ou controle de tudo até hoje. Não sei o que acontecerá no futuro nem posso controlar o que ocorrerá daqui a trinta minutos. Quando reflito na missão que o Senhor entregou para mim neste momento, logo me pego pensando o que ele viu em mim, para me presentear com tamanha honra. Entretanto, mesmo cumprindo essa missão há um tempo, ainda tenho dúvidas sobre como agir, o que fazer, ou o tempo certo para determinadas decisões. Eu, assim como você, estou em construção.

Alguns anos atrás, eu já estava na internet e uma pessoa me criticou usando uma palavra tão difícil que precisei procurar no dicionário o que significava. No fim, fiquei um pouco decepcionado, mas entendi e até concordei com ela. Eu não sei de tudo, não sou perfeito e ainda estou aprendendo a me parecer mais com Jesus e executar com excelência o que ele espera de mim. Agora, podem me criticar e expor meus defeitos, mas jamais poderão me acusar de ter ficado parado. Porque, quando Deus manda, eu faço. Ainda que não tenha entendido no momento, não importa, se o Senhor está chamando, você e eu temos de obedecer, porque procrastinar é o mesmo que desobedecer.

Li um livro, uma vez, que contava sobre a invenção do paraquedas. Fiquei imaginando a loucura do processo todo até que o inventor fosse capaz de fazer aquela engenhoca funcionar. Entretanto, o que me chamou a atenção não foi a criação do paraquedas em si, mas o que estava escrito no livro logo após a menção daquela história. Entre a narrativa do paraquedas e algumas outras reflexões pessoais, o autor apontou um levantamento que dizia que homem nenhum tem mais do que 80% de certeza acerca das coisas da vida — e, convenhamos, isso faz todo o sentido. O importante, contudo, é o que faremos com a porcentagem que sobra.

Todo ser humano tem promessas e planos de Deus para a sua vida, ainda que decida jamais vivê-los. O que diferencia uma pessoa de viver e conquistar de outra que não fará nem um nem outro não são as habilidades, as oportunidades e os cenários favoráveis, mas a disposição e coragem de dizer sim para o Senhor mesmo sem entender muitas vezes. São os passos de fé e ousadia para obedecer a palavra divina que nos fazem parar de contar as histórias dos outros para começar a contar nossas próprias histórias extraordinárias com Deus. Acredite na voz do Eterno, saia da inércia mesmo que não faça sentido, vá em direção ao que ele lhe disse, obedeça ao chamado e comando de Jesus, e você passará a viver os milagres e não apenas ouvirá falar deles.

Sempre me pego pensando a respeito do quanto a nossa passagem por esta terra é curta. E, quando chegarmos ao final, quais serão as histórias que contaremos para os nossos filhos? Quais serão os milagres que poderemos dizer para os nossos netos que vivemos porque tomamos decisões ousadas em contextos que ninguém tinha coragem de fazer o mesmo? Quando teremos uma história para contar que não seja a de alguém, mas a história que Deus desenhou especificamente para nós? Quer saber quando? No instante em que sairmos da inércia e aprendermos a pôr em prática "a arte de começar". Às vezes, o que o livrará da procrastinação é iniciar algo mesmo sem saber direito como. É mover-se, claro, tendo uma palavra de Deus, estratégias e planejamento, mas se lançando "de cabeça", com coragem e fé, com a certeza de que, se ele direcionou, podemos confiar.

Qual foi a palavra — ou palavras — que Deus lhe deu? Realmente foi ele quem disse? Se foi o Senhor, então, comece a caminhar em direção a ela, comece a se mover para colocá-la em execução, clame por ela, corra atrás, peça ajuda de pessoas mais experientes, estude, faça a sua parte; não fique parado esperando cair do céu. Mexa-se e mostre para você mesmo e para Deus que a sua atitude diante do que ele disse é a de alguém que acredita de todo o coração nas promessas, verdades e nos planos dele.

Eu me lembro de quando Deus começou a ministrar no meu coração sobre a Associação Evangelística que ele desejava que abríssemos. Ela ficou pronta há alguns meses, mas, no momento em que ouvi o direcionamento do Senhor, eu não tinha nenhum recurso, não sabia como fazer aquilo acontecer e, inicialmente, fiquei preocupado com a dimensão do projeto. Tudo o que eu tinha era uma palavra profética. Foi então que, depois de orar sobre isso, senti que deveria ligar para dois amigos que moravam nos Estados Unidos, contar a história do projeto, e, para a minha total surpresa, os dois abriram mão dos empregos que tinham e disseram que queriam trabalhar comigo nessa empreitada. Na hora, fiquei sem reação. Quem renunciaria ao emprego e salário fixo para trabalhar e não ganhar nada inicialmente?

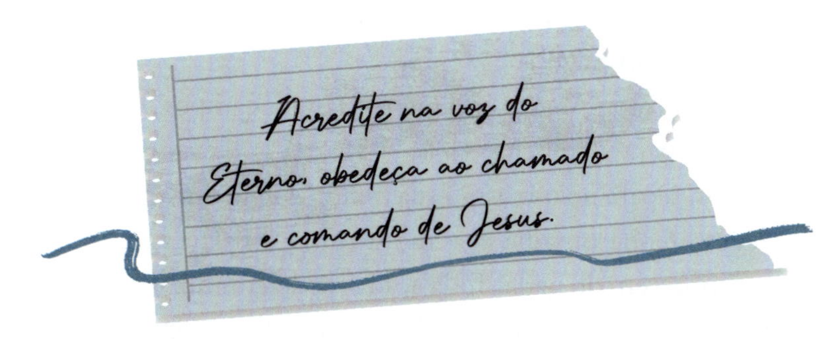

O que essa situação milagrosa me ensinou é que, ao darmos um passo em direção à Palavra do Senhor e fazermos alguma coisa na prática, outros são impactados e também decidem fazer algo a respeito. Em certos momentos, as pessoas confiarão porque nós confiamos primeiro, e todos serão beneficiados e impactados.

Hoje, para a glória de Deus, eu recebo, todos os dias, pessoas entrando em contato e compartilhando algum testemunho sobre algo que ele fez a partir de uma mensagem do nosso ministério ou da Associação Evangelística. Para mim, esse é o melhor pagamento que existe. Não há conquista maior do que ouvir alguém dizendo que foi encontrado por uma palavra que chegou na hora certa, que Deus usou nosso ministério para alcançar uma pessoa que talvez jamais conheçamos pessoalmente, mas que tem a chance de escutar a respeito da verdade de Deus. Toda a honra e glória sejam dadas ao Senhor, que escolheu usar a minha família e alguém como eu. E, se ele decidiu contar conosco, que não tínhamos recursos, visibilidade, ajuda, experiência nem contatos, ele também pode e vai usar a sua vida. Basta você se posicionar e se movimentar em direção ao que Deus lhe disse. Se focar apenas nos problemas do mundo, nas desvantagens, no que não tem, no que não sabe fazer ou no fato de não entender tudo, você não sairá do lugar. Comece hoje, desvincule-se do que é familiar, mexa-se, inicie algo novo agora.

Jesus disse: "Abram os olhos e vejam os campos! Eles estão maduros para a colheita" (João 4.35, NVI). Levante-se, abra os olhos, repare no que está à sua frente. A colheita está pronta; acredite, tenha ousadia e se mova rumo à palavra. As coisas não acontecem do nada. Toda ação fora do comum demandou uma atitude corajosa de alguém que escolheu sair da inércia e parar de procrastinar. Se esperarmos o cenário ideal, nunca faremos nada relevante no mundo. Não precisa ser perfeito, só tem de ser feito na hora que Deus mandar.

Não desperdice sua vida com o medo dos 20%. Não desista dos sonhos que o Senhor plantou no seu coração por postergar ou preferir a zona de conforto. Engavetar o que ele colocou aí dentro por falta de coragem é como enterrar os talentos (cf. Mateus 25.14-30).

Ideias não foram feitas para ficar na teoria. Projetos, promessas e planos precisam ser executados.

Termino contando a história de um amigo meu, que, certo dia, teve uma ideia de negócio brilhante e não contou a ninguém. Por meio dela, ele revolucionaria o mercado bancário digital e, como trabalhava em banco há dez anos, tinha todo o conhecimento e a estrutura para colocar seu projeto em andamento. Adivinhe o que ele fez? Isso mesmo, nada. Ele só teve a ideia, mas não fez nada para torná-la realidade.

O que aconteceu foi que um rapaz, que estava há apenas seis meses no banco, começou a trabalhar no ramo e teve a mesma ideia, só que ele não parou por aí. Mesmo que não tivesse metade da experiência e do conhecimento do meu amigo, o jovem pediu demissão do banco, ficou seis meses estudando, criando e aperfeiçoando o projeto, e voltou meses depois para apresentar a proposta para o banco em que trabalhava. Ele vendeu sua ideia por cem milhões de reais. Sim, você leu certo: cem milhões de reais. O que o meu amigo — que tinha dez anos de carreira em banco — conseguiria fazer em uma semana, o jovem empreendedor precisou pedir demissão, estudar seis meses e estruturar um plano de negócios para concretizar sua ideia e ver seu projeto sendo recompensado.

Infelizmente, tudo o que o meu amigo pode fazer agora é passar a vida inteira falando para os outros: “Mas fui eu que tive a ideia primeiro”. Afinal, lamentavelmente, além de ter perdido a ideia, também perdeu a recompensa que aquela ideia teria trazido se ele a tivesse tirado do papel.

Ideias não foram feitas para ficar na teoria. Projetos, promessas e planos precisam ser executados. Portanto, em vez de ficar parado, esperando até ter 100% de certeza, ou o momento ideal, se contente com os 80%, ou quem sabe até com os 70%. O segredo é nunca ficar parado. O tempo passa, não se esqueça disso. Eu estou na casa dos trinta, mas daqui a pouco estarei na dos quarenta, cinquenta, sessenta anos. Não espere até ser tarde demais. Indigne-se diante da inércia, do comodismo, do pensamento utópico de que uma hora ou outra vai cair do céu. O dia é hoje. Por isso, eu lhe encorajo: comece o novo negócio que sempre sonhou, chame aquela moça para sair de uma vez por todas, inicie aquele curso de pós-graduação que você tanto queria, dê um passo e firme-se em uma igreja local, tenha coragem e peça logo aquela mulher em casamento, matricule-se agora em uma academia, coloque "pé firme" para iniciar a leitura bíblica e a oração todos os dias. Sonhe, obedeça a Deus e tenha coragem. Você nunca vai saber o que poderia ter acontecido a menos que faça.

Passos práticos

1. Ore, pergunte ao Espírito Santo, e analise as áreas da sua vida que estão inertes, paralisadas pela procrastinação, e que carecem de um posicionamento. Elenque todas elas em uma lista.
2. Em seguida, faça algo para mudar essa realidade. Comece estudando cada uma dessas áreas, seja sua intenção abrir um negócio próprio, seja iniciar um relacionamento sério com alguém. Leia bons livros sobre o assunto, matricule-se em um curso livre, faculdade ou o que for necessário para se aprofundar nesses temas.
3. Trace um plano de ação viável de curto, médio e longo prazos. Então, simplesmente, comece.

19

dia dezenove

COMO TOMAR DECISÕES SÁBIAS

QUÃO ABENÇOADOS E FELIZES são os que desfrutam da paz. Não daquela que o mundo oferece, mas uma resistente, contínua e celeste (cf. João 14.27). Essa, sim, como as Escrituras nos instruem, é capaz de nos ensinar o melhor caminho para a tomada de decisões sábias. Contudo, a paz não deve ser o único juiz quando nos referimos ao veredito de nossas escolhas. É nesse contexto que a Bíblia, as orações e outras confirmações entram em cena.

Tomar decisões faz parte da vida. O sábio é quem consegue aprender a escolher com base na razão, e não no sentimento ou na vontade. Quem opta por algo porque sente vontade será sempre escravo dela. Aquele, porém, que sabe escolher fundamentado na Palavra de Deus e no bem verdadeiro por trás de cada decisão, será sempre livre e desfrutará de alegria, saúde e paz. Digo isso porque escolher o bem não é tão simples quanto parece, apesar de ser claro e evidente. Nem todos são capazes de reconhecer o bem, e é por isso que acabam fazendo escolhas absurdas das quais se arrependem mais tarde.

Errar é humano, mas persistir no erro ou escolhê-lo conscientemente é estupidez. Assim como quando nossos pais — que podem até não conhecer a Jesus, mas são muito mais experientes do que nós — nos instruem a não fazer determinada coisa, nós os contrariamos, e, no fim, constatamos que estavam certos. Ou como quando as Escrituras nos direcionam qual caminho seguir ou não, e concluímos, apoiados em nossa arrogância e desobediência, que será melhor do nosso jeito. O resultado, sabemos bem, termina em desgosto, tristeza e aflição.

Sendo franco, ainda que não fiquemos o tempo inteiro deliberando a esse respeito, no fundo, temos consciência de que uma decisão errada é capaz de alterar o curso da nossa vida toda. Não precisamos ir longe e confabular sobre cenários criminosos. Às vezes, uma decisão precipitada de se casar com alguém que não devia pode mudar tudo. Quem sabe uma brincadeira de mau gosto que você faça com outra pessoa possa causar um trauma, uma paraplegia ou até coisa pior. Talvez uma escapulida para um lugar que você sabe que não deveria ir, mas vai, ou até mesmo pequenas e sucessivas mentiras que não tinham que fazer parte do seu estilo de vida.

Uma vez, quando eu era mais novo, minha mãe me viu de saída e perguntou aonde eu ia com aquela pressa. Eu lhe disse que estava a caminho da faculdade para estudar. Menti. Na época, eu tinha comprado um helicóptero de controle remoto e parecia uma criança que havia ganhado um presente de Natal. Minha intenção, na verdade, era faltar na faculdade para brincar com o helicóptero naquele dia. Minha mãe, percebendo algo estranho, fez outra pergunta: "Tu *vai* estudar mesmo, Deive?". "Sim, mãe!", eu respondi em seguida. Menti de novo. Saí de casa o mais rápido que aquela conversa me permitiu, corri para o carro e dei partida. O helicóptero estava no banco de trás e parecia ainda mais interessante e atraente do que nunca. Comecei a dirigir e, antes que pudesse perceber, me vi no meio de um acidente automotivo: uma pessoa havia batido no meu carro.

Você pode alegar ser um exagero cogitar que o acidente estivesse ligado ao fato de eu ter mentido para a minha mãe e até defender se tratar do acaso. Eu não acredito em nenhum dos dois. Se eu tivesse dito a verdade, minha mãe jamais teria me deixado sair aquela hora para brincar com um helicóptero de controle remoto. Eu, provavelmente, teria feito outro trajeto quando saísse de casa e não teria sido atingido em cheio por outro veículo.

Sábio é quem consegue escolher com base na razão, não no sentimento ou na vontade.

Evitaríamos muita dor e sofrimento na vida se observássemos mais os sinais de Deus e obedecêssemos à sua Palavra. Estranhamente, muitas pessoas tomam decisões erradas, e, quando a conta chega, acabam ficando bravas com o Senhor e não entendem por que ele não fez nada para impedir ou avisá-las. O que não percebem é que, na realidade, Deus lhes enviou 35 mil sinais para não irem, mas elas foram; para não assinarem, mas decidiram seguir em frente; para não fazerem, mas escolheram realizar porque são teimosas e, mesmo sem paz no coração, decidiram optar pelo erro.

Mas o que aconteceria se a gente decidisse da maneira correta desde o começo? E se analisássemos o cenário antes e perguntássemos para Deus a opinião dele de forma sincera? E se acatássemos a vontade dele para nós? Será que a nossa vida não seria diferente?

Uma decisão é o bastante para nos colocar em perigo, nos afastar de Deus, roubar a nossa paz, esperança ou nos separar da nossa família. Uma decisão. Então, a questão que surge é: como tomar a decisão certa? É simples, perguntando para quem sabe. Aí você pode me dizer: "Mas eu pergunto para Deus e não tenho resposta". Já lhe ocorreu que talvez seja você que não queira ouvir a resposta que ele tem?

Aprendi a perguntar tudo na vida para o Senhor. Para qualquer coisa que vou fazer, sempre procuro o seu direcionamento. Se ele disser sim, eu prossigo; se disser não, eu deixo quieto; e se não responder nada, eu não me movo, porque, certamente, ele tem um motivo para cada uma das respostas. Se partimos do pressuposto de que Deus nos ama incondicionalmente e quer o nosso bem, por que suspeitar que ele poderia fazer algo para nos provocar, enraivecer ou suscitar o mal contra nós? Isso não tem cabimento. Mas, ainda assim, tem gente que chega a essas conclusões, porque, infelizmente, não conhece a verdadeira identidade de Deus. Ele é bom. Ele nos ama e tem um futuro deslumbrante para a nossa vida. Jeremias diz:

> "[...] 'Porque sou eu que conheço os planos que tenho para vocês', diz o SENHOR, 'planos de fazê-los prosperar e não de causar dano, planos de dar a vocês esperança e um futuro' " (Jeremias 29.11, NVI).

Os nossos olhos só enxergam o agora; o Senhor já está vendo o amanhã, depois de amanhã, o mês que vem e todos os anos que se seguirem. É por isso que Provérbios diz que o homem faz planos, mas a resposta certa vem de Deus (cf. Provérbios 16.1). Contudo, para nos movermos, a resposta precisa ter sido clara da parte dele. E, quando ela for clara, mesmo que não concorde, obedeça, pois só assim você viverá aquilo de magnífico que ele tem para sua história. Se, por outro lado, ele disser não, confie, pois, diferentemente do Senhor, nossa visão é embaçada e pequena. Não por coincidência, Provérbios nos alerta:

> Há caminho que parece certo ao homem, mas no final conduz à morte. Mesmo no riso o coração pode sofrer, e a alegria pode terminar em tristeza. Os infiéis receberão a retribuição de sua conduta, mas o homem bom será recompensado (Provérbios 14.12-14, NVI).

Houve uma ocasião em que a Paulinha, minha esposa, estava dirigindo e parou em um farol em uma grande avenida de nossa cidade. Ao longo do trajeto, ela estava em oração, quando o sinal ficou verde, ela engatou, saiu com o carro, mas, na mesma hora, sentiu o Espírito Santo lhe dizendo para parar o veículo. Tudo foi muito rápido, e, apesar de aquele comando não fazer o menor sentido pela lógica de qualquer um, ela decidiu frear o carro instantaneamente, mesmo que pudesse receber uma chuva de buzinadas ou coisa pior. Sem entender muito bem, ela apenas obedeceu, até que, de repente, acredite se quiser, um carro em alta velocidade furou o sinal e rasgou o cruzamento por onde ela estaria passando. O estrago poderia ter sido fatal.

E se ela resolvesse desobedecer? Não basta ouvir, temos que obedecer; perguntar não é suficiente, temos que querer a resposta. Se a voz de Deus nos ordenar parar no sinal verde, mesmo que não faça sentido, pare! Se ele lhe disser para ir, vá. Mesmo que não esteja dando certo para ninguém, se o Senhor direcionou, se lance, porque dará certo para você. Ele sabe de todas as coisas e está no controle de tudo.

Como é bom podermos contar com a voz de Deus antes de tomarmos uma decisão. Pergunte a ele antes de fazer qualquer escolha; apresente o plano A, o plano B e até o C, se tiver, mas tenha consciência de que a resposta que vale não é a sua, no final das contas. Da mesma forma, é maravilhoso percebermos que, conforme andamos com o Senhor, passamos a ter sensibilidade para sonhar e planejar o mesmo que ele — pois nossas prioridades vão mudando —, e, nessa jornada, acabamos descobrindo que os planos dele vão infinita e eternamente além do que seríamos capazes de conceber em nossa mente miúda. Se me perguntassem anos atrás onde eu estaria hoje, com certeza, não chutaria nem 2% do que vivo atualmente. Eu queria ser advogado. Fiz faculdade de direito, trabalhei em diversos lugares e, mais tarde, comecei a pensar em prestar concurso público. Existe muito mérito e valor nisso, mas esse não era o plano do Senhor para mim, e foi porque eu decidi obedecê-lo, mesmo sem saber onde pisava ou o que ia acontecer, que você está lendo estas palavras agora.

Deus não tem planos ruins para nenhum de seus filhos. Ele não nos dá pedra ao lhe pedirmos pão, nem uma cobra se lhe pedirmos peixe. Pelo contrário, assim como diz em Mateus, se nós, que somos maus, sabemos dar boas coisas aos nossos filhos, quanto mais o nosso Pai celestial dará coisas boas aos que lhe pedirem (cf. Mateus 7.9-11). Por isso, em vez de tentar fazer do seu jeito, por que não experimenta pedir?

Perguntas reflexivas

1. Em quais áreas da sua vida você tem tido dificuldades em tomar decisões sábias? Por quê?

2. Qual é a sua visão a respeito da identidade de Deus? Quanto isso tem afetado suas escolhas?

3. Você sabe reconhecer a voz do Senhor e discernir as outras vozes dentro de si mesmo? Se não, como pode aprender?

20

dia vinte

SACUDA A POEIRA

O ANO DE 2020 foi um dos mais difíceis que já enfrentei. Você também passou por isso; então, sabe do que eu estou falando e, muito provavelmente, compartilha do mesmo sentimento. Parecia que aquele período nunca terminaria. Eu me lembro que, em março, pouco antes de estourar a pandemia, minha equipe e eu estávamos em turnê viajando o Brasil inteiro e o mundo com uma de nossas séries. No momento em que escutei a primeira notícia a respeito da covid-19, meu impulso foi dizer a uma das pessoas que trabalham comigo: "Não, fique tranquilo, isso aí é alarde; coisa de um mês e já volta tudo ao normal". Fomos para casa naquele dia e dali não saímos mais.

Nessa época, trancafiado dentro de casa, eu comprei tanta besteira para comer, que, em um mês, eu ganhei peso para o ano inteiro. Minha casa se tornou quase um *bunker*; parecia que minha família e eu nunca mais iríamos sair de lá. Foram anos difíceis esses que passaram.

Tínhamos centenas de compromissos marcados, ideias de projetos, estratégias novas, e, de repente, tudo aquilo que havíamos planejado escorreu pelo ralo e desapareceu. Fico pensando em quem perdeu negócios próprios, e, pior, quem perdeu gente que amava. Essa fase não foi só mais uma em nossa história. Vivemos tempos complicados, e algumas circunstâncias são poderosas para arrebentar a nossa esperança, destruir os nossos sonhos e nos desanimar.

O desânimo é algo terrível, porque nos faz desistir de conquistar os lugares que deveríamos alcançar, ao mesmo tempo que nos permite admirá-los de longe. É como se soubéssemos o nosso destino e conseguíssemos enxergá-lo, mas, ainda assim, não tivéssemos forças para chegar até lá. Isso acontece diante das dificuldades ou apenas porque levamos tantas pauladas da vida que acabamos enfraquecendo e nos fragilizando. Em contrapartida, às vezes, nossas forças vão embora, desanimamos e sentimos como se estivéssemos carregando pesos, mas, no fundo, nada de tão ruim aconteceu para nós.

A questão é que, se nos entregamos e permitimos que esse sentimento nos domine e faça de reféns, perderemos mais um ano, e outro depois deste, e outro, e outro, assim como ocorreu com boa parte dos meses de 2020. Assim que percebi que a pandemia se estenderia por mais tempo do que havia imaginado, comecei a me reinventar e a continuar os

Não desanime, ainda que situações dificílimas batam à sua porta.

planos que Deus havia me mandado realizar. Eu não parei de pregar um dia sequer dos que tinha me proposto. Não era como eu esperava nem como eu gostaria, mas era o que dava para fazer diante do cenário instituído. E é isso que, muitas vezes, nos falta compreender: mesmo que não seja da forma como gostaria agora, faça o que der para fazer com o que tem em mãos.

Não desanime, ainda que situações dificílimas tenham batido à sua porta, mesmo que você se sinta fragilizado e impotente, peça ajuda, recupere-se, levante-se e vá à luta. O desânimo não pode ditar as regras do jogo nem estar acima da vontade de Deus e da voz dele. O caos e o medo podem ser grandes; maior, porém, é aquele que está conosco e já venceu o mundo.

A Palavra nos assegura que: "O choro pode durar uma noite, mas a alegria vem pela manhã" (Salmos 30.5, ACF). Podemos passar por noites tristes e longas, mas sempre existirá alegria abundante e uma nova manhã para os que se refugiam no Senhor. Lembre-se: "O anjo do SENHOR acampa-se ao redor dos que o temem e os livra" (Salmos 34.7, NAA).

Sabe, provavelmente, alguém pode dizer que esta é uma mensagem motivacional, e está certo, em partes. Por um lado, porque o meu desejo, hoje, é realmente motivar você, é sacudi-lo para que saia da cadeira, abra a janela do seu coração, levante-se e, com firmeza e determinação, agarre-se às verdades de Deus sobre a sua vida e ao plano que ele tem para a sua história. Por outro lado, estaria errado, pois o evangelho não é uma mensagem motivacional, nem uma fórmula barata como outras que tentam vender por aí. Não basta seguir cinco passos para isso ou três etapas para aquilo. O evangelho é vida, e vida em abundância (cf. João 10.10). E é justamente por carregar ânimo, encorajamento, verdade e vida que ele é capaz de transformar-nos, e o nosso entorno, de maneira genuína. Não se trata de pensamentos positivos ou de uma falsa esperança infundada de que as coisas vão terminar bem por motivos que a razão desconhece.

Diferentemente de sessões de *coaching* ou mero otimismo, o evangelho tem poder de cura, restauração, renovo e redenção. Ele não se restringe a palavras inspiradoras para lhe ajudar em tempos difíceis, nem se resume a uma mensagem feliz para o motivar a continuar mais um pouco durante alguma adversidade. A Bíblia nos diz que a verdade liberta (cf. João 8.32), e Cristo e a sua Palavra são a verdade absoluta; por isso, o evangelho é tão poderoso. Não é uma coincidência, então, quando o Senhor diz a Josué:

> "Lembre da minha ordem: 'Seja forte e corajoso! Não fique desanimado, nem tenha medo, porque eu, o SENHOR, seu Deus, estarei com você em qualquer lugar para onde você for!' " (Josué 1.9, NTLH).

Deus, sendo aquele que nos criou, é o único capaz de nos revelar a nossa verdadeira identidade. Somente ele pode nos chacoalhar por dentro e nos mostrar — ou relembrar — o nosso legítimo potencial, e isso, por consequência, nos instigará e motivará.

Elias, o grande profeta, passou por algo assim no tempo em que esteve dentro daquela caverna (cf. 1Reis 19). Fragilizado, diante da sua humanidade e limitação, aquele homem nem parecia o mesmo ser humano que desafiou os profetas de Baal e os matou com garra e ousadia. Elias zombou daquelas pessoas, provou-lhes o poder e a majestade do Senhor dos exércitos e, por fim, exterminou todos eles (cf. cap. 18). Quem poderia imaginar que, pouco depois, aquele valente homem de Deus se veria desanimado, fraco, amedrontado e sofrendo com crises de identidade (cf. cap. 19)? Isso nos lembra que até os mais fortes podem se defrontar com suas fraquezas de vez em quando. Faz parte da nossa humanidade.

O profeta andava com o Senhor e já havia presenciado múltiplas manifestações do seu poder de modo palpável. Ainda assim, teve medo, fugiu, se escondeu em uma caverna ante a promessa de Jezabel, que jurou matá-lo. E foi assim que Elias desanimou.

O Senhor, no entanto, não havia se esquecido dele:

> Ali [Elias] entrou em uma caverna e passou a noite. E a palavra do SENHOR veio a ele: "O que você está fazendo aqui, Elias?". Ele respondeu: "Tenho sido muito zeloso pelo SENHOR, Deus dos Exércitos. Os israelitas rejeitaram a tua aliança, quebraram os teus altares, e mataram os teus profetas à espada. Sou o único que sobrou, e agora também estão procurando matar-me". O SENHOR lhe disse: "Saia e fique no monte, na presença do SENHOR, pois o SENHOR vai passar " (1Reis 19.9-11, NVI).

Após proferir essas palavras, o texto bíblico continua afirmando que o Senhor lhe deu três ordens: ungir Hazael como o novo rei da Síria; ungir Jeú como novo rei de Israel; e ungir o jovem Eliseu como seu sucessor na escola profética de Israel. Além disso, Deus disse a ele que havia feito sobrar 7 mil em Israel, que não tinham se inclinado diante de Baal. O profeta não estava sozinho, e, mesmo em um momento de tanta fraqueza e desânimo, Deus usou aquela situação para prepará-lo e reposicioná-lo estrategicamente em seu ministério. Naquela caverna, diante das palavras confortantes e confrontadoras do Deus de Israel, Elias foi restaurado, revigorado e reanimado pelo Senhor.

Todo mundo desanima. Agora, está em nossas mãos a escolha de permanecer na caverna e sucumbir, ou nos levantar e enxergar as novas oportunidades e esperança que Deus separou para a temporada que estamos vivendo. Mantenha sempre em mente o que as Escrituras prometem:

> Porque há esperança para a árvore, que, se for cortada, ainda se renovará, e não cessarão os seus renovos. Se envelhecer na terra a sua raiz, e morrer o seu tronco no pó, ao cheiro das águas, brotará e dará ramos como a planta (Jó 14.7-9, ARC).

De que adianta desanimar e ficar prostrado? Levante-se, confie no Senhor e peça que ele lhe abra os olhos para enxergar além das circunstâncias tristes e complexas. Nós temos uma esperança. Como Salmos 121 nos garante:

> Elevo os olhos para os montes: de onde me virá o socorro? O meu socorro vem do SENHOR, que fez o céu e a terra. Não deixará vacilar o teu pé; aquele que te guarda não tosquenejará. Eis que não tosquenejará nem dormirá o guarda de Israel. O SENHOR é quem te guarda; o SENHOR é a tua sombra à tua direita. O sol não te molestará de dia, nem a lua, de noite. O SENHOR te guardará de todo mal; ele guardará a tua alma. O SENHOR guardará a tua entrada e a tua saída, desde agora e para sempre (Salmos 121.1-8, ARC).

Anime-se. Você não irá desfalecer. O desânimo pode até dar as caras, mas não permanecerá, pois, se você der espaço, o Senhor renovará a sua alma, as suas forças, e trará a coragem necessária para seguir até o fim. Tudo o que precisa fazer é sacudir a poeira, se levantar e avançar.

Desafio

Compre um caderno e, a partir de hoje, comece a escrever tudo o que Deus lhe disser acerca de sua identidade e seu futuro. Anote também a data daquele registro e todas as palavras proféticas e promessas divinas que receber daqui em diante. Nos dias em que estiver desanimado, triste e cansado, pegue-o e leia com calma cada palavra contida naquelas páginas. Permita que o Espírito Santo ministre ao seu coração.

21

dia vinte e um

VAZIO ~~NUNCA~~ MAIS

O EVANGELHO DE LUCAS nos conta a história da mulher do fluxo de sangue. Não sabemos o nome dela, a aparência que tinha nem detalhes acerca da sua escolaridade, condição financeira ou família. Tudo o que temos conhecimento é que ela sofria de uma enfermidade que a assolava havia 12 anos, e que essa fora a razão de ter gastado todas as suas economias com médicos e remédios que não foram capazes de curá-la.

Bastou um encontro com Cristo para que essa realidade mudasse instantaneamente, concedendo-lhe uma restauração tripla: em seu corpo, em sua alma e em seu espírito. Toda vez que eu leio essa passagem, fico intrigado com o fato de Jesus não ter se contentado em ter sido tocado por aquela mulher; ele quis descobrir quem ela era, olhar em seus olhos e pronunciar as lindas palavras: "Tem bom ânimo, filha, a tua fé te salvou; vai em paz" (Lucas 8.48, ARC). Acredito piamente que, além da cura física — liberada no momento em que ela o tocou —, aquela mulher necessitava ser curada em sua alma e restaurada em seu espírito.

Após tantos e tantos anos doente, tentando de todas as maneiras possíveis se livrar daquele mal, imagino o tamanho do vazio que havia em seu peito. Naquela época, os doentes eram isolados da sociedade. A medicina não era avançada, os remédios eram limitados, e não era qualquer um que podia bancá-los. Tente refletir no estado físico em que aquela mulher se encontrava após 12 anos ininterruptos perdendo sangue. Certamente estava abatida, muito, muito fraca e, por conta de sua condição, pode ter desenvolvido inúmeros outros problemas graves, como anemia ou outras patologias. Somado a isso, penso sobre o estrago que a falta de contato com as pessoas possa ter causado dentro dela. Por conta do fluxo de sangue, ela era considerada impura e, por esse motivo, não podia abraçar ninguém, cozinhar para as pessoas nem se relacionar diretamente com alguém.

Assim como aquela mulher, tenho visto, atualmente, muitas pessoas com um vazio dentro de si. Carecem do toque físico da mesma forma que necessitam do toque restaurador do Senhor em sua alma e em seu espírito. Independentemente de sua classe social, cor da pele, escolaridade ou nacionalidade, muitos dizem sentir um vazio dentro de si que não conseguem preencher. Pessoas que têm tudo o que precisam — algumas muito mais do que precisam — dizendo que não têm nada.

Isso fez que eu começasse a me questionar por que vivemos em uma geração e um país em que o evangelho é tão acessível, e, mesmo assim, tão poucas pessoas o acessam?

O Senhor não rejeita a oração, ele não despreza a nossa fé.

Que estranho é sabermos que o maior privilégio do mundo — conhecer e andar com Deus — está disponível para nós, e, ainda assim, há pessoas que passam a vida inteira sem conhecer Jesus de verdade. O vazio tem uma explicação. Você pode não saber o que colocar para preencher — porque se soubesse, colocaria —, mas, no fundo, tem um lembrete constante de sua alma cutucando e impelindo você a completá-lo. Está escrito em Eclesiastes:

> Ele fez tudo apropriado ao seu tempo. Também pôs no coração do homem o anseio pela eternidade; mesmo assim ele não consegue compreender inteiramente o que Deus fez (Eclesiastes 3.11, NVI).

A humanidade tem ambição pelo que é eterno, quer goste, quer não. Fomos criados com o desejo pela eternidade em nosso coração, e essa é a explicação para buscarmos preencher o vazio que a ausência de Deus — que é eterno — causa em nosso interior.

No desespero, coletivos de pessoas ocas tentam preencher esse buraco com coisas esquisitas, fazendo de tudo para estancar a carência e a dor de seu coração por aprovação, amor e redenção. Disfarçam com sorrisos, fingem em redes sociais e festas, mas qualquer observador minimamente atento percebe de cara o que está errado. Descontam em compras, viagens, religiões, filiações em partidos políticos, na esperança de que suas crises internas possam ir embora e de que o buraco, finalmente, seja preenchido. Doce engano.

O mais triste é que, nesse caminho e busca incessante, quantas pessoas não acabam tirando a própria vida? Na tentativa de preencher o vazio, acham que vale tudo. O que lhes faltou descobrir foi a mesma verdade que a mulher do fluxo de sangue captou: basta um encontro com Deus para que tudo mude em nossa vida.

Há uma forma de preencher o vazio que existe dentro de nós, e, se você leu este devocional até aqui, já sabe aonde eu estou querendo chegar. Grave em seu coração: não importa o quanto você esteja no fundo do poço, se olhar para cima, sempre verá a luz do sol brilhando. Existe um caminho de esperança e alegria, mesmo em meio à dor. Há como se livrar do peso e do vazio que assolam sua alma, e essa garantia não sou eu quem lhe dá, mas a Palavra.

Se soubéssemos quem Jesus é de verdade, não demoraríamos tanto para correr aos seus pés. Se tivéssemos noção do seu poder, nunca tentaríamos ocupar nosso coração com qualquer outra coisa que não fosse ele mesmo. Em Lucas 8, Cristo estava andando pela cidade no momento em que foi tocado por uma desconhecida e sentiu virtude saindo de si. Esta, por sua vez, já havia tentado de tudo na busca frenética por cura, e, ao ter conhecimento do poder do Salvador do mundo, decidiu arriscar, quem sabe, sua última aposta de esperança tentando tocá-lo. Ela não sabia se Jesus se tornaria impuro com aquele toque. Até então, o que haviam lhe dito, era que uma pessoa naquele estado deveria se afastar para evitar o contágio e a possibilidade de se tornar impura. Mas Cristo não era uma pessoa comum.

Deus deseja que o conheçamos e anseia que, voluntariamente, possamos nos permitir ser conhecidos por ele.

Foi crendo nessa verdade que, com fé e coragem, a Bíblia narra que aquela mulher agarrou a orla do manto de Jesus no meio da multidão, e, apesar da quantidade de pessoas tocando nas vestes dele e querendo se aproximar, o Cordeiro do mundo percebeu o toque diferenciado daquela mulher enferma. Não tem como nos encontrarmos com Cristo e passarmos despercebidos. É impossível nos posicionarmos com fé, tentarmos tocá-lo, nos achegarmos a ele e sermos ignorados. O Senhor não rejeita a oração, ele não despreza a nossa fé; tinha todos os motivos do mundo para fazê-lo, mas não o fez.

Na mesma hora em que tocou as vestes do Mestre, a mulher foi curada. E aqui destaco um ponto importante, porque, além do sangramento ter estancado de forma instantânea, Cristo decidiu descobrir quem havia encostado nele e, ao se deparar com a mulher, olhar para ela e proferir a sentença de sua salvação, acredito que ela recebeu o resto da cura que necessitava. Naquele instante, a moça conheceu Jesus não só como alguém que fazia milagres, mas como um amigo, o socorro bem presente no dia da angústia, o refúgio, a fortaleza, alguém capaz de perdoar os pecados e lhe conceder a salvação. Até então, creio eu, ela ainda tinha um vazio; havia sido curada em seu corpo, mas não tinha sido preenchida, transformada. Ela carecia de um toque em sua alma e em seu espírito. E foi o que acredito ter acontecido.

Cristo Jesus não quer ser conhecido apenas como um curandeiro, alguém que faz milagres ou nos presenteia com a salvação. Ele deseja um relacionamento profundo com o homem. Deus deseja que o conheçamos do mesmo modo como anseia que, voluntariamente, possamos nos permitir ser conhecidos por ele.

Algumas coisas em nossa vida só mudam quando nos encontramos com o Salvador. Uma pregação, um livro, uma conferência, um domingo na igreja não são suficientes; precisamos ter experiências verdadeiras e genuínas com Jesus, e conhecê-lo profunda e diariamente para nunca mais nos sentirmos vazios. Somente o Senhor é poderoso para preencher todas as lacunas da nossa alma. Apenas ele pode perdoar nossos pecados, nos salvar, nos dar uma identidade, nos conceder esperança, alegria e paz. A nossa responsabilidade está em tocarmos a orla de suas vestes com fé e coragem. O resto podemos deixar por conta dele, porque é certo que aquele que procura irá encontrar o que tanto busca se não desistir.

Senhor Jesus, muito obrigado pela salvação, misericórdia, graça e cura que estão disponíveis para mim através do teu sacrifício. Peço que me cures *[fale especificamente o que precisa de cura]* e me ajude a abrir meu coração para as transformações que o Senhor deseja fazer em minha vida. Não desejo mais viver com um vazio dentro mim. Oro para que o teu Espírito preencha cada lacuna do meu ser e me conceda ainda mais fé, coragem e perseverança para correr a ti e conhecê-lo ainda mais. Em nome de Jesus, amém!

22

dia vinte e dois

NADA É DE REPENTE

EU AMO ESSE TEXTO de Gálatas. Em primeiro lugar, porque ele nos relembra de uma verdade simples do evangelho: a necessidade de fazermos o bem o tempo inteiro. Em segundo, por nos alertar a respeito da importância de termos constância nessa tarefa. Plantar o bem, haja o que houver, não é mérito de todo ser humano. Há aqueles que almejam ser vistos, percebidos e esperam a fama, o destaque e o sucesso como mola propulsora para a perseverança em realizar o bem. Mas essa é uma percepção equivocada do sucesso.

Alguém pode dizer, analisando minha vida superficialmente, que eu tenho sucesso agora, e por que faz essa afirmação? Pelos milhões de pessoas que são impactadas pelas mensagens que minha equipe e eu produzimos? Ou pela quantidade enorme de pessoas que seguem minhas redes sociais e conhecem o ministério que desenvolvo, talvez? Mas quem disse que isso é sucesso? Sucesso, na minha concepção, é olhar para trás e saber que o que você vê agora é produto de algo que eu já fazia desde 2012, mesmo quando ninguém estava me vendo. Sucesso é aquilo que fazemos no secreto, em obediência a Deus, de maneira repetida, sem aplauso, sem mérito, sem holofote e, ao mesmo tempo, apesar dos obstáculos diários e persistentes, sem nos cansarmos de fazer o bem.

Tem gente que pensa que, de repente, algo acontece e muda a nossa história. Mas não. Não existe mágica, abracadabra ou pó de pirlimpimpim. Na verdade, se pararmos para pensar, nada acontece de repente na vida dos que andam com o Senhor. As coisas levam muito tempo para, então, acontecerem subitamente. Todos os grandes homens e mulheres de Deus na Bíblia foram marcados por seus feitos, e, igualmente, por seus processos. Eles precisaram amadurecer, ser tratados e desafiados em secreto antes que a publicidade lhes encontrasse. Repare na história de Davi, por exemplo: aquele pequeno guerreiro matou o gigante Golias, mas não antes de ter matado o leão e o urso. Desatentos, alguns leem o trecho bíblico ou escutam essa narrativa como uma história isolada, que fez a fama do rei Davi, e se esquecem de que a sua vitória só foi possível graças ao treinamento que teve antes e o favor de Deus sobre sua vida. Se Golias soubesse do histórico de Davi e dos processos que ele havia passado em oculto, talvez tivesse corrido do campo de batalha ao ficar frente a frente com o jovem pastor.

Isso quer dizer que o maior sucesso de Davi foi aquele que nós não levamos em conta, mas que o fez ter autoridade para vencer publicamente aquilo que todos nós, hoje, sabemos.

Todo mundo passa por processos de treinamento, e é a constância e a perseverança em terminá-los — sem desistir de fazer o bem, persistindo no que é certo todos os dias, mesmo que ninguém veja, ainda que ninguém acompanhe, valorize ou esteja fazendo o mesmo — que nos habilita a colhermos o bem que plantamos. Essa é a nossa obrigação, e, se formos fiéis até o fim e não desfalecermos, em algum momento, a colheita chegará.

A chave está na constância, persistência e determinação de ir até o fim. Ninguém viu, ninguém escutou, ninguém reconheceu ou reparou, mas já havia alguém escrevendo, trabalhando, fazendo, plantando e, de repente, começou a colher. Por trás de todo de repente, há uma longa história de constância. Na época de Noé, muitos ficaram assustados, pois afirmaram que o dilúvio viria a acontecer de repente. A chuva não começou repentinamente. Ela teve início porque a arca ficou pronta. Há décadas e mais décadas, um homem acordava e dedicava-se a construir uma arca todos os dias. Não tinha chuva, não tinha sinal de água nem razão aparente para a construção de um barco daquela magnitude, mas havia uma ordem de Deus. Após anos de fidelidade e perseverança em continuar fazendo o bem que o Senhor havia mandado, no dia em que a arca ficou pronta, de repente, começou a chover.

O de repente nunca acontece do nada. Existe sempre um processo que não somos capazes de enxergar. Uma pessoa pode imaginar: "De repente, ouvi uma pregação e fui salvo pelo evangelho". Não. Pessoas oraram, dobraram seus joelhos, intercederam e jejuaram pela sua vida, todos os dias, para que, "de repente", você fosse encontrado pelo amor de Deus. Contudo, antes, essas mesmas pessoas conheceram o evangelho e, de repente, foram transformadas por ele. De repente, isso aconteceu também com aqueles que evangelizaram as pessoas que oraram por você, e a lista não tem fim. O evangelho só está acessível porque alguém, de repente, entregou o seu filho na cruz do Calvário, que morreu por mim e por você, mas, pelo poder do Espírito Santo, de repente, ressuscitou.

Alguns anos atrás, assisti ao documentário de um jogador de beisebol que, depois de ser elogiado por uma pessoa que lhe disse que suas tacadas eram simplesmente incríveis, foi questionado sobre como elas podiam ser tão orgânicas e naturais. O atleta, com um pequeno sorriso no canto da boca, respondeu com sobriedade: "Natural? Natural para quem? Eu pratico mais de 600 vezes por dia a mesma tacada. Para ser mais preciso, seis vezes de dez, depois seis vezes de dez até completar 600 repetições, todos os dias, sem falhar. O que você vê no campo reflete o que eu faço nos treinos aos quais ninguém assiste".

Nunca é de repente!

Nunca é de repente. As melhores coisas levam tempo e demandam esforço. O que não podemos é desistir de praticar o que é bom, seja em nossa vida ou em relação aos outros. Que não nos cansemos de fazer o bem para que possamos colhê-lo no tempo certo. Mas, nessa jornada, não se esqueça: o de repente acontece depois de um longo processo.

Li um livro, há um tempo, que narrou outro episódio que me impactou muito. A obra conta a história de um pastor americano que tinha uma igreja de 200 pessoas, das quais 90% eram jovens. Durante cinco anos, a igreja não cresceu, permanecendo com os mesmos 200 irmãos, a quem aquele pastor ministrava, cuidava e para quem pregava a cada domingo. Ao longo desse período, ele trabalhou duro, persistiu e fez a sua parte, mas não presenciou nenhum crescimento. Doava-se dia e noite por aquelas pessoas e tentava tudo que estava à sua disposição para expandir a comunidade e aumentar o seu alcance. Até que, um dia, um jornal extremamente influente de Washington, sua cidade, teve conhecimento daquela pequena igreja e se surpreendeu com a faixa etária dos membros.

Curiosamente, naquele dia, tinham poucas pautas para noticiar e, diante da necessidade de publicarem mais conteúdo, decidiram fazer uma entrevista com aquele pastor a respeito de sua comunidade. Prometeram-lhe que aqueles depoimentos estariam na seção de religião do jornal. Algumas das perguntas foram direcionadas para o fato de terem tantos jovens na igreja, outras questionavam como fazia para cuidar de todos eles e aquele homem fiel respondeu todo o questionário com sabedoria, sempre mencionando a fé, a constância e a perseverança como nortes de sua missão.

O grande jornal agradeceu a entrevista, foi embora e, dias mais tarde, aquele pastor correu até a banca, pegou o primeiro exemplar de jornal, folheou rapidamente página por página, mas não encontrou a matéria que tinha concedido ao jornalista. Frustrado, de súbito, pensou que eles não haviam colocado a reportagem, mas, ao fechar o jornal, deu de cara com a capa que tinha como matéria principal a sua igreja. E, "de repente", no domingo seguinte, a sua pequena comunidade passou de 200 para 400 membros em um único dia. No domingo seguinte, a igreja multiplicou para 800 pessoas e, hoje, é uma igreja enorme de Washington, DC.

Para quem ouve as histórias e está de fora é “de repente”, mas, para quem está construindo pouco a pouco, ela faz parte de um longo, longo processo. Este devocional só tem um objetivo: lembrá-lo de que o segredo do que nós chamamos de sucesso não são os números, os holofotes, a fama ou o reconhecimento. Não. O sucesso genuíno é o bem que fazemos todos os dias, com a motivação certa, sem que ninguém nos veja ou dê crédito. É o que realizamos para a glória de Deus, faça chuva ou faça sol. O bem não se resume a atos de bondade para terceiros; ele se estende a tudo que podemos realizar nesta terra ao obedecermos ao Senhor e cumprirmos a vontade dele.

Eu me lembro do dia em que acordei, fiz meu devocional, tomei café da manhã e fui checar os comentários e a reverberação do último vídeo que eu tinha postado. Ninguém me conhecia naquela época. Eu estava acostumado com 5 mil, 3 mil, 2 mil pessoas consumindo os conteúdos que postava, quando, de repente, aquela mensagem alcançou 20 mil pessoas inesperadamente, e os números só subiam. Àquela altura, ônibus já tinham sido ministrados por aquela palavra, faculdades, ruas, bairros e quase todos os estados do Brasil. De repente, tudo mudou. O que ninguém sabia era dos evangelismos de porta em porta, das pregações em pequenas igrejinhas, das noites sem dormir orando e jejuando, das incertezas, dos medos e dos processos que minha família e eu passamos até aquele momento. E continuamos, conforme seguimos a vontade divina e a obedecemos, a passar por esses processos da vida. Com persistência e constância prosseguimos para o alvo, sempre fazendo o bem e nos lembrando de que, apesar dos longos processos, nunca é de repente.

Passos práticos

1. Analise sua vida e responda: quais áreas você necessita de mais constância? Agora, de forma prática, escolha uma área por mês para aperfeiçoar e trace metas reais para tirar isso do papel. Por exemplo: janeiro — desenvolver constância nos exercícios físicos = traçar metas para alcançar esse objetivo; fevereiro — evoluir na vida de leitura = traçar metas para alcançar esse objetivo; março — aprofundar o relacionamento com Deus = traçar metas para alcançar esse objetivo.

2. Busque nas Escrituras versículos sobre constância e perseverança. Anote-os em *post-its* e cole em lugares visíveis, como o espelho do banheiro ou a porta do seu guarda-roupa, para absorver essas verdades diariamente.

3. Após um mês trabalhando de maneira focada em cada área, faça o balanço do que conquistou até ali e do que pode melhorar.

23

dia vinte e três

LIVRE-SE DO PESO

QUANDO EU AINDA ESTAVA na escola, lembro-me de uma ocasião em que a classe resolveu me pregar uma peça, colocando um tijolo na minha mochila. Sem perceber a movimentação dos meus colegas, no fim da aula, peguei minha mala, coloquei nas costas e voltei para casa. No meio do trajeto, parei, extremamente suado, cansado e com dor nas costas. Mal podia imaginar ter sido vítima de uma pegadinha daquelas. "Como pode minha mochila estar tão pesada?", pensei, pouco antes de chegar em casa, enquanto, mentalmente, fazia os cálculos do que poderia ter colocado dentro dela.

No momento em que pisei em casa e abri o zíper da mala, dei de cara com o motivo do peso em minhas costas. Como me senti estúpido naquele dia. A minha vontade era voltar para a escola correndo e dar o troco em todos os que haviam tirado sarro de mim. Em compensação, logo em seguida, vieram os questionamentos: por que não parei no meio do caminho para entender o que estava acontecendo? Por que esperei chegar em casa?

Agora, imagine a loucura que seria se eu abrisse a mochila, deparasse-me com o tijolo, fechasse e continuasse andando com ele nas costas para cima e para baixo. Muitos fazem exatamente isso em sua vida. Eles sabem onde está o tijolo, sabem como se livrar dele, sabem há quanto tempo têm o tijolo nas costas e, em vez de decidir mandá-lo embora de uma vez por todas, escolhem andar e conviver com ele.

No Evangelho de Mateus diz o seguinte:

> "Vinde a mim, todos os que estais cansados e oprimidos, e eu vos aliviarei. Tomai sobre vós o meu jugo, e aprendei de mim, que sou manso e humilde de coração; e encontrareis descanso para as vossas almas. Porque o meu jugo é suave e o meu fardo é leve" (Mateus 11.28-30, ACF).

Jesus é sempre cirúrgico. O convite, nessa passagem, diz respeito justamente às pessoas que estavam carregando um peso que não era delas; e, do mesmo modo, isso se aplica a nós hoje. O conselho de Cristo, então, foi deixar sobre ele o peso, para que carregasse em nosso lugar, enquanto recebemos o seu fardo, que é leve. O que temos que aprender a fazer é trocar o nosso fardo pesado pelo de Jesus. Esse é o peso que devemos suportar, diferentemente dos fariseus e escribas, que eram legalistas e colocavam uma carga sobre o povo que nem eles suportariam. Eis aqui, então, o resumo de tudo: é urgente nos livrarmos do peso que não aguentamos ou não devemos carregar.

Tudo o que é pesado demais para nós, precisamos depositar sobre quem tem poder e força para suportar. Somente o

Senhor é capaz de aguentar o fardo árduo, cansativo e custoso do mundo. O problema é que, muitos de nós, em vez de nos livrarmos dos pesos, acabamos acumulando cargas desnecessárias ao longo da vida. Assim, pouco a pouco, vamos nos sentindo pesados, lentos e extremamente cansados, e não nos damos conta de que esse é o motivo do nosso atraso e até da vontade de desistir do propósito muitas vezes.

Alguns carregam fardos tão pesados a vida inteira que começam a perder o brilho nos olhos, a vontade de continuar, e já não conseguem mais enxergar o propósito por trás do que fazem. No início, não notam certas cargas que absorvem; mas, à medida que a caminhada prossegue, passam a sentir o quão pesado aquilo se tornou e, diante disso, ou soltam o peso e entregam ao Senhor, ou morrerão cheios de angústias, arrependimentos e sobrecargas.

Agora, verdade seja dita, ninguém gosta de conviver com gente pesada. Já reparou como pessoas assim têm apenas más notícias para dar? Ou como iniciamos uma conversa e sempre saímos desanimados e carregados? Gente que não se resolve se torna difícil de conviver. Era para ser simples, mas complicam a tal ponto de chegarem ao esgotamento e afastarem até mesmo aqueles os amam.

Dessa forma, administram o ódio, o rancor, a amargura contra alguém, fazem gestão dos maus sentimentos e da falta de perdão, desenvolvem ansiedade ou depressão e perdem o sono por não sei quantos anos, tudo porque decidem segurar um peso que não podem suportar, em vez de entregá-lo a quem pode carregar. E, quantas vezes, a pessoa que é alvo desse ódio nem sonha que tem alguém que não dorme há anos por conta daquele sentimento? Somos nós que escolhemos andar pesarosamente por não permitirmos que Deus entre em nossa história e nos liberte.

O peso foi feito para ser deixado no lugar certo. Livre-se dele. Coloque-o sobre o Salvador que, na cruz, já carregou sobre si todo o peso que o mundo inteiro não seria capaz de suportar. Qual é o peso que você carrega? Por que ainda não se livrou disso de uma vez? Não aceite viver mais um ano escravo de sentimentos que o adoecem. Não permita que, durante mais de um ano, você tenha que administrar dores e cargas pesadas demais para você. Às vezes, nos transformamos em recipientes de lixo. Mas não precisa ser assim. Ninguém gosta de carregar peso; e, quando o entregamos ao Senhor, passamos a ficar leves e desfrutar do jugo suave que ele prometeu. Por consequência, lentamente, vamos perdendo a prática de carregar peso, como quando frequentamos a academia cinco dias na semana e, repentinamente, ficamos um mês sem aparecer. Quando voltamos, não temos mais a mesma *performance* de força, intensidade e velocidade. O mesmo acontece ao nos acostumarmos com o fardo e jugo de Jesus, que é leve e suave; não toleramos mais levar peso nenhum que não foi feito para suportarmos; não admitimos carregar sobre nós aquilo que Deus não colocou sobre nossos ombros.

Algumas coisas na vida são fáceis de resolver; outras, nem tanto. Mas, para uma ou outra, existe uma solução clara: Jesus. De que maneira você deseja terminar estes 31 dias de devocionais? Hoje, pode ser o dia em que você ficará leve de novo e nunca mais precisará levar esse fardo pesado sozinho. Só depende de você. Resolva de uma vez por todas e para sempre. Ligue para alguém para quem você precisa pedir perdão. Perdoe. Chame para conversar. Ore, liberando as pessoas que o feriram. Livre-se da raiva, do ódio, da amargura. Entregue as bagagens pesadas ao Senhor. Faça a sua parte. Não precisamos carregar esses fardos sozinhos.

Não se esqueça: quando houver um tijolo em sua mochila, lembre-se de fazer um *check-up* em sua vida e analisar o que pode estar fora do lugar. Você e eu não temos que carregar uma cruz que não seja nossa; o que temos que levar é a cruz, leve e suave, que Cristo já colocou sobre nossos ombros e que nos ajuda a carregar. Ele já pagou por tudo no Calvário. Então, não necessitamos carregar aquilo que irá nos ferir ou causar lentidão em nossa jornada.

Termino com uma analogia. A vida com o Senhor é como alguém que pega um elevador. Entramos cheios de malas e, com

muita dificuldade, apertamos o botão do andar que desejamos com um dos cotovelos. O elevador, então, começa a se mover, e, depois de um tempo, olhamos para os lados e nos perguntamos por que ainda estamos segurando as malas em vez de tê-las soltado no chão. Ao nos desprendermos delas, sentimos o alívio imediato e percebemos que o elevador não caiu com o peso. Descobrimos, naquele instante, que não precisávamos ter carregado a carga desde o momento que entramos no elevador, pois ele era forte o bastante para aguentar o fardo.

Desde o dia em que conhecemos Jesus, não necessitamos carregar mais nenhum peso, porque ele levou sobre si os nossos pecados, as nossas dores e enfermidades. Tudo foi perdoado, curado e se fez novo em Cristo. Lance sobre ele, pois Jesus não apenas suporta o peso, como também é o alívio de que tanto carecemos.

Perguntas reflexivas

1. Analise e reflita: em quais áreas de sua vida você está carregando pesos desnecessários?
2. Como fará para se livrar deles?
3. De que maneira você pode evitar colecionar pesos pela caminhada?

24

dia vinte e quatro

QUE VOZ DEVO SEGUIR?

PEDRO É UM DOS meus personagens bíblicos preferidos. O homem tinha lá seus defeitos, mas sua coragem e seu ímpeto para crer eram inspiradores. Pedro viveu experiências sobrenaturais fora da caixa, antes e depois da ascensão de Cristo. Isso, acredito eu, não se dava por ele ser alguém superdotado, até porque sabemos bem suas origens. O discípulo era uma pessoa simples, iletrada, impulsiva e cheia de imperfeições. O que não podemos dizer, contudo, é que não era um servo fiel, disposto, pronto a obedecer e ousado. Ousadia essa, inclusive, que o qualificou para viver o que muitos não foram capazes por falta de fé.

Na passagem de Mateus 14, a Bíblia nos relata o episódio de Jesus andando sobre o mar à quarta vigília da noite.

Os discípulos, dentro do barco, vendo uma movimentação a certa distância, pensaram se tratar de um fantasma, e logo se assustaram. Cristo, porém, lhes disse: "Tende bom ânimo, sou eu, não temais". Pedro, sem delongas e repleto de ousadia, respondeu a Jesus, fazendo com ele uma prova: "Senhor, se és tu, manda-me ir ter contigo por cima das águas". E o Mestre o convidou a ir até ele. O apóstolo, então, desceu do barco, andou sobre as águas e insultou a lógica humana.

O que me chama a atenção nessa história é a ação de Pedro diante da voz de comando de Cristo. Foi só após escutar a voz do Filho de Deus que o discípulo saiu do barco e se moveu em direção ao Senhor. Ao se dar conta de quem estava por trás daquele direcionamento, Pedro teve convicção de que, por mais maluca que fosse a prova, ele poderia pedi-la com a certeza de que seria atendido.

Saber que voz obedecer é crucial. Mas, para isso, precisamos de intimidade. Ouvir a voz de alguém e reconhecer a quem ela pertence é resultado de convívio. Quem é íntimo do Senhor escuta a voz dele no vento, na chuva, no dia ensolarado, no caos ou no silêncio, e o conhece pelos sinais que ele dá. Eu tenho três filhos, e eles me conhecem. Para algumas ocasiões, o meu olhar para eles traduz o que desejo dizer muito mais do que as palavras. E eles sabem me ler. De igual modo, quando falo alguma coisa, ainda que não estejamos no mesmo cômodo ou que, por alguma razão, eles não estejam me vendo, todos sabem que sou eu quem está falando, porque conhecem a minha voz.

Ter intimidade com o Senhor pressupõe que, usando ou não palavras, conseguiremos reconhecer sua voz e seus comandos, pois conhecemos o seu coração e os seus pensamentos. A verdade é que, em diversas situações, já sabemos o que devemos fazer, para onde seguir e como agir. Basta sermos obedientes ao que ele nos deixou por meio da sua Palavra.

Entretanto, a dúvida é necessária para nos proteger de vozes que não são a voz de Deus. Não tem problema algum perguntarmos se a voz que ouvimos à distância, enquanto estamos dentro do barco é, de fato, a voz divina nos convidando a andar sobre as águas. Só que, conforme nos aproximamos e andamos com ele, temos que aprender a reconhecê-lo pela sua voz ou por meio de outras formas sutis de comunicação.

Quantas pessoas já deram ouvidos a vozes que não eram a de Deus — acreditando ser — e se frustraram? Inúmeras vezes, incentivados a tomar uma postura diante de uma decisão, acabamos metendo os pés pelas mãos e escolhendo obedecer a voz que parece mais conveniente, vantajosa e próxima da nossa própria vontade. No fundo, sabemos que aquela decisão iria contra os mandamentos de Deus e sabemos que ele não nos enviaria por aquele caminho, mas preferimos escutar pessoas mal-intencionadas, profetas da carne ou a nossa própria vontade.

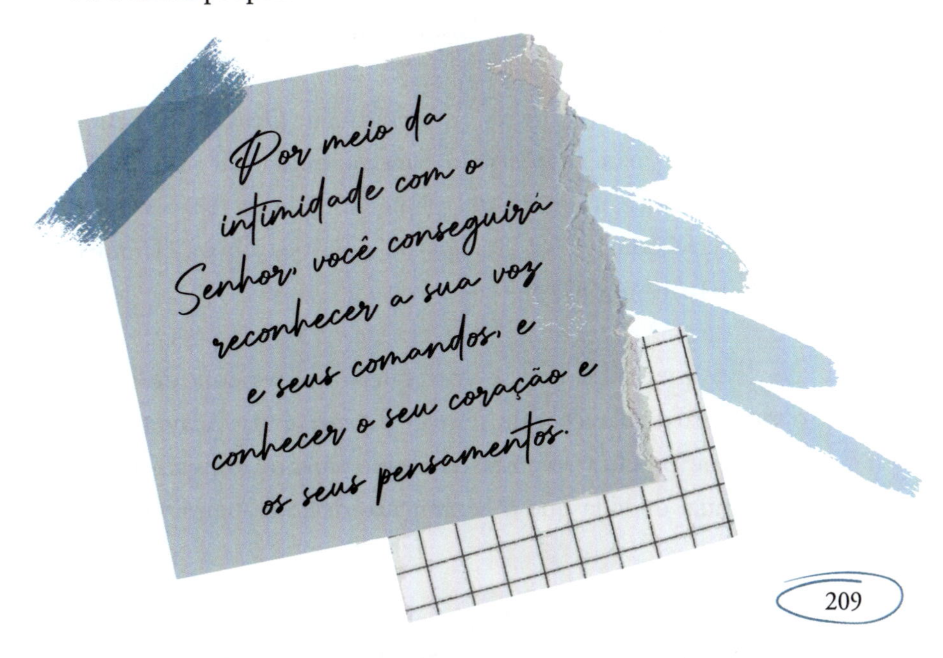

O que tenho percebido é que a nossa geração até quer escutar a voz de Deus, só não deseja obedecer à vontade dele. Almejamos ouvi-lo; mas, dentro de nós, nutrimos um sentimento oculto que cobiça satisfazer nossas próprias vontades. Ansiamos pela voz; todavia, não aspiramos pela vontade que está por trás dessa voz.

Costumo dizer que há pessoas que pedem algo para Deus e, quando ele responde "não", dizem que o Senhor não está falando com elas. Eis aí o problema. E deste surgem inúmeros outros, como a quantidade de vozes que passamos a precisar administrar em nosso coração: a voz da consciência, a dos críticos, a dos sábios, a dos nossos parentes e amigos, a das nossas vontades e, lá bem no fim da lista, colocamos a voz do Senhor, ocupando as últimas categorias em grau de importância.

Aprendi a duras penas que existem situações em nossa vida nas quais nem os sábios conseguem nos ajudar. Nesses casos, carecemos de uma resposta do Senhor direta, clara e contundente, e, além de ouvi-lo em oração, eu sempre recorro à fonte primária de comunicação com Deus: a Escritura Sagrada.

A Bíblia, no livro de 2Timóteo, nos assegura:

> Toda a Escritura é inspirada por Deus e útil para o ensino, para a repreensão, para a correção, para a educação na justiça, a fim de que o homem de Deus seja perfeito e perfeitamente habilitado para toda boa obra (2Timóteo 3.16,17, ARA).

Isso quer dizer que se você quer uma resposta de Deus, o primeiro endereço que tem de buscar é na Palavra. Tem gente que procura respostas em tudo quanto é lugar, menos no manual de vida que o Senhor nos deixou. Alguns buscam direcionamentos em "profetas de conveniência" e dependem deles para sobreviver na fé. Outros se importam mais com os achismos e opiniões de pessoas — sejam próximas ou não — do que com a vontade e os mandamentos de Deus. Enquanto alguns outros ainda espiritualizam tanto certas decisões que acabam empacados por não receberem os sinais divinos incessantes que pedem.

É urgente aprendermos a reconhecer a voz de Deus.

Não necessitamos fazer provas ou receber sinais o tempo inteiro, o que precisamos é amadurecer na fé e aprender a reconhecer a vontade de Deus, que já foi expressa nas Escrituras. Agora, evidentemente, haverá momentos em que necessitaremos de uma resposta exclusiva e personalizada com o nosso nome, RG e CPF, e Deus fala com o homem dessa maneira também. São nessas horas que devemos fazer prova com o Senhor.

Quando minha esposa e eu recebemos a notícia de que teríamos o nosso primeiro filho, o Senhor começou a falar conosco sobre o local de nascimento dele, que não era o mesmo que havíamos cogitado inicialmente. Com aquela movimentação celestial, decidimos fazer três provas, uma atrás da outra. Nós as apresentamos diante de Deus, que nos confirmou em todas elas a decisão que tínhamos que tomar. O interessante é que essa resposta não tinha lógica alguma aos nossos olhos, e até hoje não entendemos especificamente a razão de o Senhor ter nos direcionado a termos nosso filho fora do país. Mas ele sabe, e isso tem que ser suficiente.

É urgente aprendermos a reconhecer a voz de Deus. Do contrário, sempre seremos arrastados por outras vozes que nos afastarão de onde realmente devemos estar. Contudo, vale o alerta: mesmo que estejamos ouvindo Jesus e caminhando em direção a ele, corremos o risco de perceber o vento forte e as ondas, e, por conta do medo, afundar. Pedro estava seguindo a diretriz de Cristo, mas afundou por dar mais ouvidos ao medo do que à voz que o guiava. Existe a possibilidade de, no início, nos movermos pela voz de Deus e, no meio do processo, perdermos o contato com ela.

Entre Cristo e o discípulo, havia o barco, as ondas, o vento e o mar. Muitas vezes, o que está entre nós e Deus é o que nos impede de ouvir a voz dele com clareza. Por isso a importância de silenciarmos o que está em nosso entorno. Uma hora teremos que escolher: ou a voz divina nos guiará até o final dos nossos dias, ou viveremos afundando e pedindo socorro para nos levantar.

De todos, talvez Pedro fosse o menos indicado a andar sobre as águas. Alguns discípulos eram mais próximos de Jesus, talvez mais espirituais e, quem sabe, até tivessem reconhecido a voz do Senhor antes do apóstolo. Pedro, porém, depois de ouvi-la, decidiu obedecer e arriscar. Sem a iniciativa de sair do barco e ir em direção à voz, o discípulo jamais teria vivido o milagre. Para tudo na vida, não basta escutarmos a diretriz, temos que obedecer e dar passos de fé; afinal, sem ela é impossível agradar a Deus.

Desafio

A Palavra é clara ao dizer:
"Provai, e vede que o Senhor é bom;
bem-aventurado o homem que
nele confia" (Salmos 34.8, ARC).
Da próxima vez que tiver uma decisão
importante a tomar, faça uma prova
com o Senhor e peça uma confirmação a
respeito do caminho que tem que seguir.
Ouvindo o comando, seja obediente e
arrisque-se para fora do barco.

25

dia vinte e cinco

ESGOTAMENTO EMOCIONAL

O LIVRO DE RUTE narra a linda história desta mulher, de sua sogra e de sua descendência. Tudo começou na cidade de Belém, quando o casal Noemi e Elimeleque, junto de seus dois filhos, Malom e Quiliom, saíram em busca de alimento nos campos de Moabe e se instalaram no local. Na época, uma fome assolava a terra e todos se viram impedidos de permanecer em seu lar. Tempos depois, o marido de Noemi faleceu e, passados alguns anos, aconteceu o mesmo com seus dois filhos. Estes haviam se casado com mulheres moabitas; o nome de uma era Orfa, e o da outra Rute. A primeira decidiu voltar para a casa dos pais; no entanto, a segunda escolheu não desamparar sua sogra e ficou com ela, apesar dos perigos e incertezas que rondavam as viúvas naquele tempo.

Sem esperança de provisão, proteção e futuro, ambas partiram de Moabe, retornaram a Belém, a cidade natal de Noemi, e ali se iniciou uma grande jornada de reviravolta na vida delas. Entretanto, apesar de a protagonista desse livro ser Rute, hoje, desejo me concentrar em Noemi. A Bíblia nos conta que:

> [...] Ali chegando, todo o povoado ficou alvoroçado por causa delas. "Será que é Noemi? ", perguntavam as mulheres. Mas ela respondeu: "Não me chamem Noemi, chamem-me Mara, pois o Todo-poderoso tornou minha vida muito amarga! De mãos cheias eu parti; mas de mãos vazias o SENHOR me trouxe de volta. Por que me chamam Noemi? O SENHOR colocou-se contra mim! O Todo-poderoso me trouxe desgraça! (Rute 1.19-21, NVI).

O nome Noemi significa "agradável", "encantadora" ou "suave". Ela, porém, a despeito da identidade que carregava, se autodenominou Mara, que quer dizer "amarga". Diante de todo o mal que havia sofrido em sua vida, essa mulher não era mais capaz de enxergar sua verdadeira identidade em meio a tanta amargura e tanto desgosto. Esse é um daqueles livros que precisamos ler algumas vezes até compreendermos o nível de dor inserido nas entrelinhas dessa história.

Noemi é um retrato de muitos de nós: uma pessoa agradável, encantadora e suave, mas que, por conta das surras da vida, entrou em esgotamento emocional. Sentenças como: "Não aguento mais", "Não consigo", "Chega", "Para mim já deu [...]" são alguns sintomas dessa exaustão que tem adoecido tantas pessoas. Hoje em dia temos diagnóstico para tudo isso. Antigamente, chamavam depressão, ansiedade, síndrome do pânico e *burnout* de doenças espirituais ou falta de Deus. Aos poucos, conforme as pesquisas foram avançando, descobriu-se as patologias, embora não possamos anular a existência dos casos espirituais. As razões para o esgotamento podem ser diversas. O ponto é que ele não começa do nada. É devagar, pequeno e, à medida em que cresce e não é tratado, passamos a dar espaço para a piora.

Há algumas semanas, um amigo muito próximo me ligou e, na conversa, elenquei algumas atitudes que reparei e estavam me incomodando bastante. "Você está, nitidamente, com problemas emocionais! Anda muito ansioso e essa ansiedade está vazando pelas suas ações! Abaixe a bola, você está falando e fazendo coisas que não são normais para você! Com certeza, está esgotado", eu lhe disse no telefone. Essa ocasião passou e ele continuou no mesmo ritmo frenético, apresentando sintomas cada vez mais fortes, até que me ligou um dia e disse: "Cara, não sei o que está acontecendo comigo! Eu começo a chorar do nada, tenho sentido medo e alguns outros

Enquanto o que vemos é destruição, o nosso Deus e as Rutes que ele coloca em nossa vida veem esperança e oportunidade para recomeçar.

sentimentos que não sei descrever... só sei que é estranho...". Talvez você tenha amigos nesse estado ou você mesmo esteja passando por isso, assim como Noemi.

O esgotamento deturpa a nossa visão sobre tudo. Distorce a nossa percepção sobre Deus, sobre o próximo, sobre nós e sobre as situações ao nosso redor. Nesses momentos, começamos a confundir as emoções e entramos em um *looping* difícil de sair, que é o instante em que se iniciam as doenças psicossomáticas. Imagino que Noemi estivesse nesse estado de esgotamento. Como se não bastasse ter perdido seu marido e seus filhos, teve de voltar à sua cidade natal pior do que quando saiu. Ninguém deseja isso. Além de extremamente dolorido, é vergonhoso.

As Escrituras nos mostram que, depois de saírem de Moabe, Noemi liberou as duas noras para voltarem para a casa de seus pais. Orfa foi embora e Rute permaneceu com a sogra, declarando um dos trechos mais bonitos da Bíblia:

> "Não insistas comigo que te deixe e não mais te acompanhe. Aonde fores irei, onde ficares ficarei! O teu povo será o meu povo e o teu Deus será o meu Deus! Onde morreres morrerei, e ali serei sepultada. Que o SENHOR me castigue com todo o rigor, se outra coisa que não a morte me separar de ti!" (Rute 1.16,17, NVI).

Que linda demonstração de lealdade e caráter. Rute, sem se importar com o tipo de provação que poderia enfrentar ao lado da sogra, decidiu arriscar seu futuro, colocando-se em uma posição de vulnerabilidade econômica e social, e se responsabilizar por Noemi. Todas as vezes que leio esse trecho, me pego pensando que é justamente nos períodos de esgotamento que a ajuda talvez venha de quem menos esperamos. Daí a importância de orarmos ao Senhor para que envie amigos leais que não nos abandonem na hora que mais precisarmos; temos de orar para que ele coloque Rutes em nosso caminho, pessoas que, quem sabe, sejam inesperadas; mas que, em momentos de maior dor, sejam bálsamo e nos relembrem que não estamos sozinhos.

Oro para que, enquanto você lê estas páginas, Deus possa trazer à luz quem são as Rutes na sua história e, se elas ainda não chegaram, eu o encorajo a clamar por essas pessoas confiáveis, leais, sábias e fiéis ao Senhor, que o façam recordar que você não está desamparado nesta terra. Sempre haverá uma Rute perto de você; se ela ainda não chegou, peça ao Senhor.

Além de nos mostrar que não estamos sozinhos, Rute também nos ajuda a balancear nossa visão que, por conta das emoções e da dor, acaba ficando adulterada. Em certos momentos, o que enxergamos é uma imagem distorcida pela dor e pelas crises, mas que não tem embasamento na realidade. Enquanto o que vemos é destruição, o nosso Deus e as Rutes que ele coloca em nossa vida veem esperança e oportunidade para recomeçar. Às vezes, tudo o que você precisa é mudar a sua perspectiva e alinhá-la com a que o Senhor tem sobre você e o seu futuro.

Noemi se dizia amarga, mas Deus nunca a viu dessa forma. Tanto para ele quanto para Rute, a viúva continuava sendo agradável. Esse é o problema do esgotamento: quando estamos exaustos, pensamos não ter valor, olhamos para os pequenos obstáculos, que são como gatinhos, e os enxergamos como leões e montanhas; aquilo que é simples se torna uma calamidade.

Situações vão e vêm nessa trama, e a Bíblia termina dizendo que a nora de Noemi se casou novamente com um homem extremamente bondoso chamado Boaz, que resgatou e amparou as duas viúvas. O casal deu à luz a Obede, que, por sua vez, concebeu Jessé. Este se tornou pai de Davi, que não só foi o maior rei de Israel, como foi parte da genealogia de Jesus. Deus não renovou apenas Noemi, mas toda a história e descendência dela, trazendo-lhe esperança e uma família nova, que lhe possibilitou entrar para a linhagem do Cristo.

Deus mudou a sorte de Noemi, curou suas emoções, lhe deu novos motivos para sorrir, e fará o mesmo com todos aqueles que se achegarem a ele. A Bíblia nos questiona:

> Por que você reclama, ó Jacó, e por que se queixa, ó Israel: "O Senhor não se interessa pela minha situação; o meu Deus não considera a minha causa"? Será que você não sabe? Nunca ouviu falar? O Senhor é o Deus eterno, o Criador de toda a terra. Ele não se cansa nem fica exausto, sua sabedoria é insondável. Ele fortalece ao cansado e dá grande vigor ao que está sem forças. Até os jovens se cansam e ficam exaustos, e os moços tropeçam e caem; mas aqueles que esperam no Senhor renovam as suas forças. Voam bem alto como águias; correm e não ficam exaustos, andam e não se cansam (Isaías 40.27-31, NVI).

O Senhor é poderoso para fazer muito mais do que imaginamos ou pensamos. Noemi não foi abandonada pela nora; mas, ainda que houvesse acontecido, Deus seria capaz de mudar seu destino com ou sem Rute. Sim, é muito importante podermos contar com Rutes em nossa caminhada; em contrapartida, isso não significa que o Senhor dependa delas para agir em nossa vida. A promessa não falha:

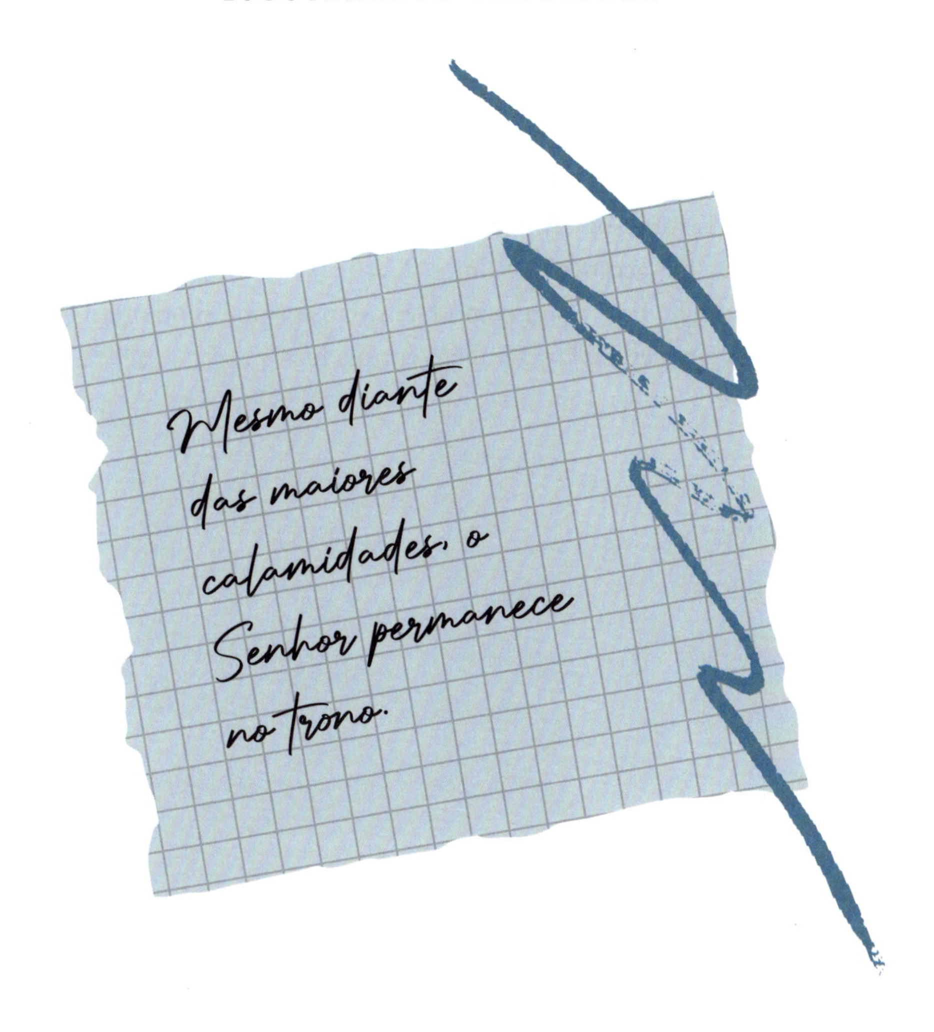

"Por isso não tema, pois estou com você; não tenha medo, pois sou o seu Deus. Eu o fortalecerei e o ajudarei; Eu o segurarei com a minha mão direita vitoriosa. Todos os que o odeiam certamente serão humilhados e constrangidos; aqueles que se opõem a você serão como nada e perecerão. Embora procure os seus inimigos, você não os encontrará. Os que guerreiam contra você serão reduzidos a nada. Pois eu sou o SENHOR, o seu Deus, que o segura pela mão direita e lhe diz: Não tema; eu o ajudarei" (Isaías 41.10-13, NVI).

Creia, se uma Rute não aparecer em seu caminho, não mude o seu nome para Mara, porque você continua sendo agradável, e o Deus de Israel, que é o seu Deus, não o desamparará. Lembre-se: "Ainda que me abandonem pai e mãe, o Senhor me acolherá" (Salmos 27.10, NVI). Você não está só. Tenha fé, pois assim como Deus transformou o pranto de Noemi em alegria, fará também em sua história.

Deus, muito obrigado porque mesmo diante das maiores calamidades o Senhor permanece no trono. Ainda que os montes se abalem e as tempestades me alcancem, tu continuas reinando acima de tudo e todos. Peço que me ajudes a passar pelo fogo e enxergar as situações pela tua perspectiva. Clamo também para que coloques Rutes em minha história; mas, ainda que elas não cheguem, oro para que a tua mão sempre me guie, sustente e fortaleça, e que a tua presença me mostre que não estou sozinho. Muito obrigado! Eu te amo. Em nome de Jesus, amém!

26

dia vinte e seis

ENTRE VALES E MONTANHAS

TODO MUNDO TEM SEUS dias gloriosos e os calamitosos. E quem melhor do que Jó para ilustrar esse senso comum? O surpreendente é que ele, que experimentou todas as dores profundas com as quais um ser humano pode ter contato ao perder sua família, suas posses, riquezas, saúde, seu sustento, sendo capaz, inclusive, de nutrir vontade de morrer, foi descrito na Bíblia como um homem bom.

Em meio a todo o cenário de dor, perda, tristeza e desânimo, existia um homem justo, que foi justamente o motivo que fez que Deus permitisse que ele vivesse tudo aquilo. Esse tipo de lógica é difícil de explicar, porque, na nossa cabeça, se somos bons, só deveriam acontecer coisas boas conosco, mas não é assim que a banda toca. Na realidade, convenhamos, todos sofremos, mas, francamente, ninguém é, de fato, bom. Pensamos que sim, mas não somos.

Todo mundo carrega uma natureza pecaminosa. Sem o sacrifício de Jesus, estaríamos fadados ao inferno e à morte eterna, mas, graças ao sangue precioso dele, somos justificados, limpos e habilitados a buscar a bondade, apesar de sempre continuarmos necessitando do aperfeiçoamento de Cristo em nosso coração e atitudes.

A Palavra nos apresenta Jó como um homem íntegro, sábio, de caráter e sensibilidade espiritual. No capítulo 4 do livro que leva o seu nome, um amigo do protagonista o confronta com algumas verdades. Apesar de, no geral, os amigos de Jó serem conhecidos como aqueles que o condenaram e o colocaram para baixo, acredito que as palavras de Elifaz tenham sido genuínas. Ele disse:

> "Pense bem! Você ensinou a tantos; fortaleceu mãos fracas. Suas palavras davam firmeza aos que tropeçavam; você fortaleceu joelhos vacilantes. Mas agora que se vê em dificuldade, você se desanima; quando você é atingido, fica prostrado. Sua vida piedosa não inspira confiança a você e o seu procedimento irrepreensível não dá esperança a você?" (Jó 4.3-6, NVI).

Perante todo o cenário de calamidade, Jó foi relembrado pelo amigo que era ele quem fortalecia os outros, que sempre tinha uma palavra para todo mundo, que quando alguém estava caído ajudava a levantar e, agora, estava prostrado. Será que as próprias palavras que usava em favor dos outros não serviam para ele mesmo? Você já parou para observar que algumas coisas a gente só acredita com relação aos outros?

Alguns milagres, palavras e situações que temos uma grande fé que acontecerão na vida de alguém, na hora H, se tornam sem efeito sobre a nossa própria vida. Alguns são profissionais em declarar, crer e orar coisas maravilhosas sobre os outros; mas, quando chega a sua vez de crer e viver, não conseguem acreditar de verdade.

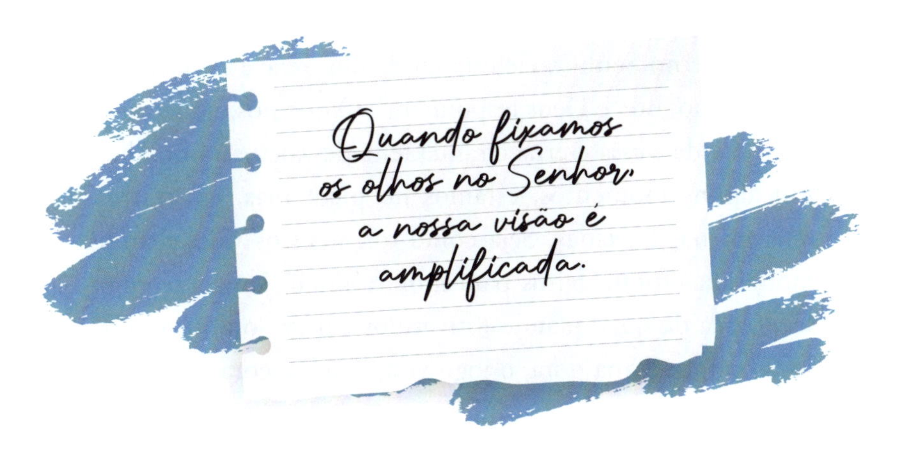

Ou seja, o que me parece é que, de vez em quando, a nossa fé só funciona com relação aos problemas alheios; mas, quando estamos abatidos, tristes e desesperançosos nos vales, permitimos que os sentimentos roubem a nossa fé, o nosso ânimo e esperança de que, assim como o Senhor fez na vida de tantos, fará na nossa também. Dentre os vários motivos para isso acontecer, creio que um dos principais seja devido à nossa incapacidade de crer que os pequenos fragmentos de nossa biografia, que temos acesso pouco a pouco, formarão uma linda e completa história no final.

No desfecho de seu livro, Jó teve tudo restituído em dobro por Deus: seus bens, propriedades, família, riquezas. Para nós que sabemos como tudo termina, é complicado supor o nível de agonia que aquele homem passou; afinal, Jó não tinha conhecimento de que isso aconteceria; ele só tinha pequenas porções da história por vez e, por isso mesmo, não sabia onde tudo iria dar.

O que Elifaz comentou e que serve para nós também é: com frequência, enquanto está tudo bem conosco, temos palavras para todo mundo: "Olha, Deus é bom! Ele é fiel! O Senhor é justo!", "Deus está no controle de todas as coisas", "Descanse no Senhor, ele está cuidando, relaxe", "Acalme o seu coração, ore, e Deus responderá". O que nos esquecemos é que a vida é essa eterna ciranda feita de vales e montanhas. Em alguns momentos, estamos no pico; mas, em outros, estamos nas baixadas. Seja como for, nem os vales nem as montanhas foram feitos para morar; afinal, jamais teremos segurança de que, quando estivermos em um ou outro, será para sempre. Uma hora, o jogo vira, e nosso coração precisa estar preparado para quaisquer ocasiões. Um dia teremos que enfrentar o dia mau. No outro, poderemos desfrutar dos dias bons na montanha.

Quando fixamos os olhos no Senhor, a nossa visão é amplificada e passamos a compreender com mais clareza que a maioria das circunstâncias que vivemos são passageiras. As dores, os medos, as inseguranças, as angústias, os sofrimentos, as perdas e os desastres deste mundo são passageiros. Quase tudo é passageiro, exceto aquilo que envolve o Senhor e que construímos com ele.

O grande problema do dia mau é que, muitas vezes, ele embaça a nossa vista e, em uma fração de segundos, nos faz esquecer de todas as bênçãos, as provisões e os milagres que vivemos antes. O segredo está em guardarmos o que Deus nos dá quando estamos na montanha, para que, então, nos instantes em que formos levados aos vales, possamos usá-los como ferramentas e impulso para chegar até o fim dessa temporada. No pico, recebemos revelações, bênçãos, força, conexões divinas, favor de Deus, milagres e inúmeros instrumentos do Senhor para acelerar nosso processo. Contudo, ao chegarmos na fase de deserto, temos a chance de lançar mão do que conquistamos lá em cima para nos ajudar a finalizar bem o período custoso.

Não peça apenas pelas montanhas, aprenda a agradecer pelos vales também, pois eles geram um caráter irrepreensível, nos aproximam de Cristo e nos fazem perceber a presença do Senhor conosco.

Jó tinha vivido muitos milagres, mas estava desanimado, triste e incapacitado de enxergar sua vida de forma global. Os pequenos fragmentos a que estava exposto eram dolorosos demais. E quem poderia culpá-lo? Que ser humano tem o poder de saber o rumo que sua vida tomará ao final? O que podemos é nos esforçar para sempre fazer o bem, ser excelentes e bons mordomos do que o Senhor colocou em nossas mãos, e nos manter nos caminhos de Deus até o fim de nossas carreiras.

Quando lemos a história de Jó, temos um panorama do começo, meio e fim de sua jornada, e isso nos traz esperança e alívio. Ele, contudo, não teve a mesma sorte e, assim como você e eu, em nossa jornada diária, precisou corajosamente se manter firme, escolher o certo e ser fiel a Deus para descobrir como tudo se concluiria em sua história.

A vida, para todos nós, é como os *pixels* de uma televisão. Ao chegarmos pertinho, notamos que aquela imagem, de longe, colorida, nítida e geral é composta, na realidade, de pequenos *pixels*, que, juntos, formam a cena completa. Cada dia, mês e ano que vivemos nos permitem visualizar apenas poucos *pixels* por vez. Apenas Deus é capaz de enxergar a imagem linda e finalizada da nossa história. O que nos compete é obedecer, confiar nele e dar o nosso melhor no que está sob nossa responsabilidade.

Nos tempos difíceis, não faz sentido lamentar pelo fato de não entendermos o porquê de certas situações. Ou nos revoltar e culpar o Senhor. Olhe para o passado e traga à memória aquilo que dá a você esperança. As Escrituras estão recheadas de verdades e promessas que carregam o poder de nos transformar. Muitas vezes, as situações ao nosso redor não vão mudar, mas a nossa perspectiva, por meio da ação da Palavra em nosso coração, sim.

Nesse processo, outra coisa que pode nos ajudar a manter o equilíbrio e encarar as situações com uma visão moderada é recordar que vale nenhum é restrito a pessoas específicas. Experimente perguntar para qualquer um ao seu redor se ele está passando por um processo de luta e provação; duvido muito haver alguém que não esteja, mesmo que minimamente. Por um lado, todos aguardamos e desejamos dias melhores, mas não podemos esquecer que os dias maus não são exclusividade nossa. Não é apenas em sua casa que há provações, não é somente com você que

algumas coisas saem do controle, nem é privilégio seu passar por dificuldades. Por outro lado, vale lembrar também que são as batalhas que forjam pessoas extraordinárias e fortes; são os processos doloridos que transformam histórias comuns em testemunhos poderosos.

Não peça apenas pelas montanhas, aprenda a agradecer pelos vales também, pois eles geram um caráter irrepreensível, nos aproximam de Cristo e nos fazem perceber a presença do Senhor conosco. Não à toa, Eclesiastes nos diz:

> É melhor ir a uma casa onde há luto do que a uma casa em festa, pois a morte é o destino de todos; os vivos devem levar isso a sério! A tristeza é melhor do que o riso, porque o rosto triste melhora o coração. O coração do sábio está na casa onde há luto, mas o do tolo, na casa da alegria (Eclesiastes 7.2-4, NVI).

Reconhecer Jesus como seu Senhor e Salvador não tornará a sua vida em um mar de rosas. Você não deixará de ficar doente, de receber cortadas no trânsito ou de ter problemas como todo mundo. A diferença é *quem* estará conosco ao longo da viagem, nos ensinando, confrontando, livrando, protegendo, derramando favor, transformando nosso coração e nos mostrando que tudo o que importa de verdade é eterno. O pecado trouxe o mal e as imperfeições para este mundo, mas Deus tem o poder de regenerar e transformar todas as coisas. Existe mais do que os *pixels* nos mostram. Não podemos ver a imagem completa na televisão, mas ele pode.

Jó tinha tudo para desistir, mas permaneceu fiel ao Senhor. Uma das coisas que mais me impactam na vida desse homem é que, em toda a dor e todo o sofrimento que passou, ele viu a ação de Deus em sua história, e foi por isso mesmo que conseguiu declarar: "Antes eu te conhecia só por ouvir falar, mas agora eu te vejo com os meus próprios olhos" (Jó 42.5, NTLH). Antes, Jó só conhecia a teoria, mas, a partir dali, experimentou a prática do poder transformador de Deus. Existe sempre esperança para os que perseveram e confiam no Senhor. Por isso, seja nos vales ou montanhas, permaneça fiel.

Passos práticos

1. Estude a vida de Jó se comprometendo a ler, pelo menos, um capítulo por dia;

2. Faça anotações e comparações da sua vida com o que ele passou;

3. Em seguida, compartilhe com algum amigo ou parente como a vida desse homem impactou a sua e quais foram as lições que você aprendeu.

27

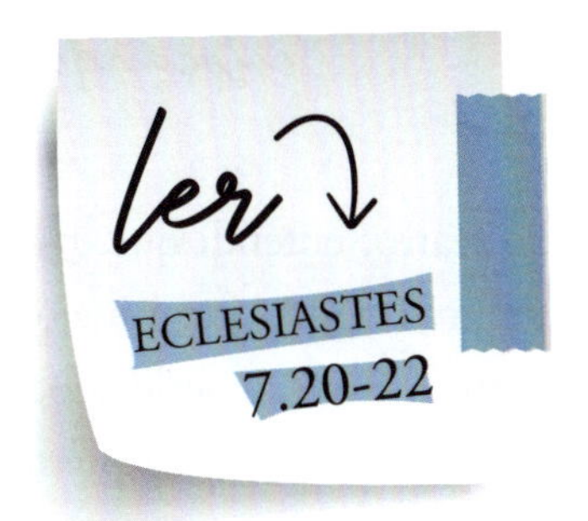

dia vinte e sete

CRÍTICAS OU ELOGIOS: EIS A QUESTÃO

A PRIMEIRA VEZ QUE fui convidado para pregar em uma congregação, quase cometi um erro teológico gravíssimo. A sorte — ou o que eu gosto de chamar de "cristocidência" — foi que, pouco antes de subir no palco, uma equipe de teatro apresentou uma peça sobre o mesmo tema da mensagem que eu levaria naquela noite. Eu tinha 19 anos na época. Nunca vou me esquecer daquele dia. Inexperiente e recém-chegado à igreja, decidi compartilhar a história de Sadraque, Mesaque e Abede-Nego, os três que foram para a fornalha ardente juntamente a um quarto homem que, acredite se quiser, para mim, era Daniel. Dou risada todas as vezes que lembro desse episódio. Evidentemente, após assistir ao teatro, entendi que, na verdade, o quarto homem se tratava de uma figura que a maioria dos teólogos entende ser o Cristo. Com o coração acelerado, ao perceber a gafe que estava prestes a cometer, continuei prestando bastante atenção na encenação, enquanto dava pequenas espiadas no rascunho que tinha feito da mensagem. Naquele dia, pela graça de Deus, fui poupado de um vexame enorme, mas muitas outras vezes cometi erros complicados. Não apenas pregando, mas na vida.

Quando se é jovem, a tendência é errar ainda mais do que quando amadurecemos e ficamos mais velhos. É claro que continuamos cometendo erros pelo resto da vida, afinal, quem é perfeito? Mas, na juventude, temos uma predisposição a nos equivocarmos e errarmos mais enquanto aprendemos. À medida que envelhecemos, porém, a propensão é evitarmos cair nas mesmas falhas de antes. Não que isso seja uma regra. Alguns continuam imaturos e tropeçando nas mesmas coisas. Contudo, é justamente em razão disso que não faz sentido vivermos achando que todos devem nos aplaudir o tempo inteiro. Não vamos acertar sempre. Eu mesmo tenho vergonha de incontáveis situações e atitudes do passado. Já errei muito e continuo errando, mas o meu objetivo sempre será acertar e não permanecer no engano.

Nesse processo, é natural sermos elogiados e criticados. O problema é como lidamos com ambos. Vou dar um exemplo. Se, de dez pessoas, nove o elogiarem e uma criticá-lo, qual será o sentimento que dominará o seu coração? Arrisco dizer que, certamente, será a crítica. Nós somos assim. Se nove disserem que estamos lindos, mas uma pessoa comentar que nossa roupa está brega, esqueceremos dos outros nove elogios. Por isso, a importância de amadurecermos e aprendermos a lidar com as duas avaliações; para que as críticas não nos paralisem e impeçam de crescer, e os elogios não nos ensoberbeçam.

Em Provérbios 15 está escrito:

> Quem ouve a repreensão construtiva terá lugar permanente entre os sábios. Quem recusa a disciplina faz pouco caso de si mesmo, mas quem ouve a repreensão obtém entendimento. O temor do SENHOR ensina a sabedoria, e a humildade antecede a honra (Provérbios 15.31-33, NVI).

Isso significa que nem toda crítica é negativa. Elas também podem ser construtivas e servir para gerar crescimento exponencial. Quando feitas da maneira correta, são capazes de promover vida, cura e edificação; e, nesses casos, acabam cumprindo a função de um conselho. Outras, é claro, são destrutivas e têm o intuito de condenar pelo mero ato de criticar.

Como Salomão instruiu, devemos ouvir e aprender com as críticas construtivas, pois elas nos farão permanecer entre os sábios. A questão é que elas não podem vir de qualquer um. É crucial aprendermos a receber bem as boas críticas, mas elas têm que vir dos conselheiros sábios, e não daqueles que não construíram nada, não têm nenhum fruto e não amam você.

Se, por acaso, você tem um amigo sincero que o ama, mas, às vezes, o irrita pelas críticas que faz, que o confronta, o faz pensar e refletir, e o tira do eixo de vez em quando por dizer que você está errado, ame-o, abrace-o, valorize-o e peça para que jamais saia da sua vida, porque é de amigos assim que todos precisamos. Quanto mais conselheiros sábios e verdadeiros tivermos, e dermos ouvidos às suas críticas construtivas, mais continuaremos crescendo e nos desenvolvendo.

O que temos que compreender é que, no fundo, quem fala é mais importante do que aquilo que é falado. Digo isso porque, muitas vezes, somos elogiados por tolos e criticados por sábios, do mesmo modo que o inverso também é verdadeiro e, se não prestarmos atenção e discernimos quem está falando, corremos um sério risco de escutar um tolo e ignorar um sábio. A diferença é que o primeiro nos leva à ruína e o segundo nos encaminha ao crescimento.

É por isso que eu tenho um pastor que acompanha a minha vida e com quem me aconselho. Confio nesse homem temente a Deus e sei que ele me ama o bastante para me dizer a verdade com amor, não para me destruir, mas para extrair o melhor de mim e me fazer crescer. Você precisa de alguém assim. Ore e peça ao Senhor. Além disso, eu tenho a minha esposa, Paulinha, que é uma mulher sábia e cheia do Espírito Santo. Quem é casado sabe como as críticas podem ser poderosas se vindas no momento certo e do modo correto. As esposas têm a tendência de serem termômetros espirituais. Elas são muito sensíveis ao sobrenatural; e, por isso, devemos ouvi-las. Infelizmente, tenho ciência de que nem todas são assim; e, se esse é seu caso, ore por sua esposa ou por seu marido para que se tornem sábios e cheios do discernimento do Senhor. Acredito que um dos propósitos do casamento seja nos fazer crescer por meio de críticas construtivas.

Portanto, não ignore os sábios. Aprenda a lidar com as críticas, com os elogios, e a discernir *quem* está falando um ou outro. Não se esqueça: sempre seremos criticados. Ninguém é unanimidade. Nem mesmo Jesus agradou a todos. Ele foi traído, difamado, abandonado e morto pelas mesmas pessoas que, pouco antes, o aplaudiam e imploravam por seus milagres.

Não permita que as críticas o paralisem e os elogios o embriaguem. Continue caminhando e cumprindo o propósito de Deus para você; mas, se um sábio atravessar o seu caminho e lhe disser que algo está errado, pare, reflita e peça ao Espírito Santo que lhe mostre a verdade. Só assim continuaremos na mesa dos sábios e em constante amadurecimento.

Perguntas reflexivas

1. Você tem amigos sábios e verdadeiros que o confrontam com amor?
2. Geralmente, escuta os conselhos e críticas dos sábios? Se não, por quê? Analise seu coração.
3. Como você pode cercar-se de pessoas ainda mais tementes ao Senhor e cheias de sabedoria?

28

dia vinte e oito

FORÇAS RENOVADAS

ADMITIR FRAQUEZA É DIFÍCIL para qualquer um. Ou pelo menos para a maioria. Isso porque, desde cedo, muitos têm a predisposição de agir ou pensar com autossuficiência, como se não precisassem de nada nem de ninguém. Mas isso só persiste até a página dois. Pois, a despeito de sua força e vigor, todos se cansam. Na vida de alguns, isso acaba se intensificando de tal forma que, em determinadas temporadas, ao se olharem no espelho, muitas dessas pessoas se dão conta de que estão raquíticas, seja espiritual, seja emocional, seja fisicamente.

A vida tem oscilações, isso é fato. Em alguns períodos, estamos bem, felizes e cheios de ânimo; enquanto, em outros, estamos cansados, pesados e desgastados. O problema é nos entregarmos às condições momentâneas e vivermos sempre à deriva, oscilando, aguardando o próximo sentimento que guiará o rumo do nosso destino.

O meu desejo com este devocional é construir algo novo em seu coração, fundamentado na Palavra, e — com todo o respeito — desconstruir mentiras fantasiosas de palestras motivacionais. Porque é necessário termos a imagem correta da vida e a nossa visão alinhada com uma perspectiva realista para que não sejamos levados por sentimentos.

Ao longo dos anos, criamos muitas concepções e nos baseamos em inúmeros pensamentos que podem ou não ser verídicos. Um deles é essa falácia de que conseguimos nos virar sozinhos. Isso não é verdade. Não somos capazes de nada sozinhos. O homem não é autossuficiente. Para gravar uma série de mensagens como as que faço, por exemplo, eu preciso dobrar os meus joelhos e clamar para que Deus me dê uma palavra, coloque em meu coração a inspiração necessária e derrame o seu favor. Eu necessito da minha equipe ajudando a gravar, editar, cuidando do *backstage*, careço do auxílio de pastores, igrejas e tantos outros que apoiam esses projetos. Do contrário, as séries não teriam como acontecer. Para mudar de casa, escolher a escola dos filhos, trocar de emprego, planejar metas, para tudo na vida, carecemos da voz de Deus direcionando os nossos passos. Quanto mais então para renovar as nossas forças. Sozinhos não conseguimos nada. Somos todos carentes do Pai, do Filho e do Espírito Santo agindo e transformando a nossa história, e renovando as nossas forças na jornada. O poder não está no homem, e sim naquele que dá a vida, que modifica a visão, que traz renovo e paz, e nos faz caminhar sem nos cansarmos.

Uma vez, eu fui inventar de correr com a minha irmã, que é atleta. Quem me conhece sabe que sou extremamente competitivo e, ainda que ela fosse profissional, eu não aceitaria perder para ela; afinal de contas, eu fazia academia. O fato de ser mais jovem, mais bem treinada e ter todos os equipamentos mais tecnológicos — relógio de corredora, tênis com placa de carbono e roupa de última geração —, não foi suficiente para convencer meu espírito competidor de que eu teria muita dificuldade para vencê-la. Como fui capaz de me defraudar assim? Não demorou muito para que eu me cansasse e pedisse para ela diminuir o ritmo. Passei vergonha aquele dia.

Esse episódio me fez lembrar da passagem de Isaías 40. A Bíblia afirma que:

> Ele fortalece o cansado e dá grande vigor ao que está sem forças. Até os jovens se cansam e ficam exaustos, e os moços tropeçam e caem; mas aqueles que esperam no SENHOR renovam as suas forças. Voam alto como águias; correm e não ficam exaustos, andam e não se cansam (Isaías 40.29-31, NVI).

Quem não é capaz que esperar com paciência em Deus não está aperfeiçoado no fruto do Espírito.

Existe um cansaço que vai além do físico. Ele pode atingir nossas emoções, nossa mente ou tudo isso de uma vez. Não importa a sua idade, disposição, energia ou saúde; até mesmo os jovens podem correr e se cansar. Entretanto, Isaías nos dá uma saída para essa exaustão: aqueles que esperam no Senhor receberão forças renovadas. O segredo dessa injeção de ânimo e desse vigor não está simplesmente no que é feito no "pós", mas também no "pré". Aqueles que esperam em

Deus *antes* de se cansarem têm a chance de serem revigorados sem necessitarem chegar ao nível do esgotamento total.

Mas sabe qual é o problema? A gente espera no homem, na ciência, na estatística, na tecnologia, no dinheiro, a gente espera em qualquer coisa, só não no Senhor. Nós colocamos fé em tudo que o homem cria e é capaz de fazer; mas, quando percebemos que precisamos de descanso ou de uma solução rápida para alguma questão, preferimos a resolução humana em vez de esperar nele e colocá-lo na equação. Somente Jesus Cristo de Nazaré é poderoso para renovar as nossas forças.

Não espere por homens; você irá se frustrar. Coloque a sua expectativa e esperança no Senhor. O salmo 37 aconselha:

> Descanse no SENHOR e aguarde por ele com paciência; não se aborreça com o sucesso dos outros nem com aqueles que maquinam o mal. Evite a ira e rejeite a fúria; não se irrite: isso só leva ao mal. Pois os maus serão eliminados, mas os que esperam no SENHOR receberão a terra por herança (Salmos 37.7-9, NVI).

Descanse e espere pacientemente no Senhor. Paciência é parte do fruto do Espírito, descrito no livro de Gálatas (cf. 5.22,23). Aquele que não é capaz de esperar com paciência em Deus não está aperfeiçoado no fruto do Espírito. Desenvolver amor, alegria, paz, paciência, amabilidade, bondade, fidelidade, mansidão e domínio próprio exige a ação do Espírito e não mérito próprio. A obra transformadora do Senhor em nosso interior não tem a ver com uma mudança de comportamento (externo), mas com uma mudança radical das motivações do nosso coração (interno). Isso acaba refletindo em nossas atitudes (externo), só que não tem origem na boa conduta aprendida por pressão social, e sim em uma transformação em nossas intenções (interno). A mudança real deve partir de dentro. Permitir que o nosso coração e as nossas emoções sejam trabalhados é imprescindível na caminhada com Deus.

Acho engraçado como conseguimos ter paciência e nos controlar quando nos interessa; porém, ao nos depararmos com alguma situação em que temos que estender a mesma paciência para com Deus, colocamos para fora nosso imediatismo e, se o Senhor não responde no tempo e como desejamos, começamos com o drama e com as típicas frases de que ele não nos ouve, não nos ama e não é bom. É urgente abrirmos nosso coração para a transformação celestial, pois só assim conseguiremos receber o seu renovo antes de chegarmos ao esgotamento. Se quisermos aprender a viver bem, nossos sentimentos, emoções, coração e mente necessitam ser trabalhos pelo Senhor.

As escolhas são diárias. Por mais que queiramos tomar decisões, viver do nosso jeito e resolver com estratégias, fórmulas e saídas humanas, a melhor escolha sempre será decidirmos esperar com paciência no Senhor, vez após vez, pois ele é o nosso descanso e o único capaz de renovar as nossas forças.

Esta mensagem é para você que está cansado, desanimado, querendo jogar tudo para o alto ou resolver as dificuldades do seu modo. Tire as suas expectativas do homem, da ciência, do trabalho novo, do seu salário, disso e daquilo, e as ponha no Senhor; espere nele, descanse nele, creia nele de todo o seu coração e, se assim o fizer, além de renovo, você provará o que significa voar alto como as águias, correr e não se fadigar.

Termino com um texto de Tiago que diz o seguinte:

> Portanto, irmãos, sejam pacientes até a vinda do Senhor. Vejam como o agricultor aguarda que a terra produza a

> preciosa colheita e como espera com paciência até virem as chuvas do outono e da primavera. Sejam também pacientes e fortaleçam o seu coração, pois a vinda do Senhor está próxima (Tiago 5.7,8, NVI).

Seja paciente. Não até acontecer o que desejamos, não até recebermos forças, não por um dia, nem por um mês. Seja paciente até a volta de Cristo — isso é o que eu chamo de viver com uma atitude de alguém que espera.

A paciência é o que nos permite, na hora certa, recebermos colheitas abundantes e fora do comum. Ao esperar no Senhor, semeamos e damos tempo para que esses grãos possam germinar e dar frutos. Quando não temos paciência, mexemos na terra antes da hora, tentamos colher prematuramente na temporada errada. Aqueles, porém, que esperam e confiam no Senhor receberão sua colheita e, com ela, renovo de forças, fé, alegria, esperança e tudo o mais que necessitarem. "[E]spere, pois, no SENHOR" (cf. Salmos 27.14, NAA).

Desafio

Memorize os versículos a seguir e escreva em um caderno o que Deus tem falado com você por meio deles:

1. "Portanto, como povo escolhido de Deus, santo e amado, revistam-se de profunda compaixão, bondade, humildade, mansidão e paciência" (Colossenses 3.12, NVI).
2. "[A]legrai-vos na esperança, sede pacientes na tribulação, perseverai na oração" (Romanos 12.12, ARC).
3. "Contudo, o SENHOR espera o momento de ser bondoso com vocês; ele ainda se levantará para mostrar-lhes compaixão. Pois o SENHOR é Deus de justiça. Como são felizes todos os que nele esperam!" (Isaías 30.18, NVI).

29

dia vinte e nove

O QUE SERÁ DO MEU AMANHÃ?

A PERGUNTA QUE INTITULA este devocional é um questionamento unânime para qualquer pessoa. Da Ásia às Américas, duvido muito que algum ser humano nunca tenha pensado nessa questão pelo menos um dia de sua existência. Eu mesmo já perdi as contas de quantas vezes me peguei refletindo sobre o amanhã, preocupado, ansioso e tentando encontrar respostas para algo que talvez jamais conseguisse na época em que procurava.

O capítulo 16 do livro de Êxodo discorre sobre a primeira vez que o maná caiu do céu para alimentar o povo de Israel no deserto. Ingratos e cegos para perceber as maravilhas que o Senhor já havia feito em favor deles, os israelitas, mais uma vez, se puseram a reclamar e emitir comentários saudosos sobre o tempo no Egito, por pior que tenha sido. Só alguém muito insensível e incoerente seria capaz de preferir a escravidão e todo o combo maléfico que fazia parte desse pacote — do qual, diga-se de passagem, tinham implorado ao Senhor para serem libertos —, em vez dos benefícios e liberdade de pertencer a um Deus amoroso e fiel.

A Bíblia conta, nessa passagem, que, ao ver o maná, o povo se perguntou o que era aquilo. Diante da reclamação por falta de comida, o Senhor enviou pão e codornizes do céu para alimentá-los. O único direcionamento foi em relação à quantidade que podiam recolher. Não era permitido guardar comida para o dia seguinte, exceto para os sábados. Mas, é claro, o que os israelitas fizeram? Isso mesmo, guardaram para o dia seguinte, e a comida estragou. A mensagem de Deus para aquelas pessoas rebeldes era quase sempre a mesma: "Confiem em mim". Ainda que fosse difícil, o povo de Israel tinha que aprender a confiar no Senhor e obedecê-lo. Depender de Deus era a única maneira de sobreviverem e alcançarem a promessa, e isso continua valendo para nós também. Porque o hoje e o amanhã continuam pertencendo ao Senhor.

Só que confiar é custoso. A ordem de Deus era para que comessem a porção condizente com aquele dia, e, apesar de todas as provas de fidelidade que ele havia lhes dado, o povo continuava se preocupando com o amanhã. Se tivessem prestado atenção, saberiam que o maná estaria disponível no dia seguinte, no outro, e depois, e depois de depois de amanhã até quando fosse necessário; enquanto os hebreus estivessem em sua presença, o maná jamais iria faltar.

Analisando o contexto geral e lendo a história dessas pessoas no deserto, eu não sei você, mas sempre fico com raiva da ingratidão, teimosia e desobediência delas. Então, paro, penso e permito ao Espírito Santo ministrar ao meu coração e me relembrar quantas vezes eu mesmo agi da mesma maneira. Você e eu, assim como o povo de Israel, recebemos todos os sinais, experimentamos milagres insondáveis, fomos protegidos, alimentados, fortalecidos e defendidos por Deus. Entretanto, quando nos vemos diante de alguma situação em que não existe aparente saída ou que parece difícil demais, voltamos a reclamar e desobedecer em vez de confiar que aquele que nos livrou todas as outras vezes continuará a fazê-lo.

Não se esqueça de que o maná diário já caiu do céu.

Deus sempre quis cultivar um relacionamento com o homem, e relação nenhuma se sustenta com falta de confiança. Ao instruir que não guardassem o alimento para o dia seguinte, o Senhor queria mostrar-lhes que cumpriria sua palavra exatamente como havia prometido. Contudo, mesmo com todas as provas e todos os fatos debaixo de seus narizes, eles escolhiam se preocupar com aquilo que poderia acontecer no próximo dia e que ainda nem era realidade. Quantos de nós não fazemos o mesmo? Não vivemos o presente por estarmos presos em situações que nem são reais e que talvez nem se tornem realidade. No caso dos israelitas, eles se preocupavam com a comida, mas a troco de quê? — sendo que o próprio Deus já havia prometido enviar alimento diariamente e, sem falhar, cumpria sua promessa.

O mundo, hoje, tem se tornado cada vez mais ansioso. Por conta disso, muitas pessoas têm se prendido ao passado e ao futuro, e aniquilado o presente. Temos dificuldade de reconhecer que, na realidade, confiamos em Deus, só que temos nossas ressalvas. Asseguramos nossa confiança, mas estamos afogados em dúvidas por baixo dos panos; dizemos que esperamos, só que ficamos o tempo todo fuçando e tentando remendar as situações para que terminem como desejamos.

Poucos anos atrás, Deus usou a minha esposa para ministrar ao meu coração. Antes de sermos agraciados com a vinda da nossa filhinha, Serena, a Paulinha e eu tentamos engravidar por um tempo. Esse período foi de muito tratamento para nós. Perdemos um bebê um pouco antes, e só quem já sofreu esse tipo de dor sabe o que eu quero dizer.

Ao tomarmos a decisão de tentar engravidar novamente, a Paulinha conta que passou meses se enganando. Embora nunca tenha sido uma pessoa agitada e ansiosa, comprou vários testes de gravidez, deixou-os guardados e repetia-os constantemente com a esperança de que pudesse ter engravidado. Dizia para si mesma que estava tranquila, mas, a cada negativo, conversava com as amigas entristecida e inquieta, aguardando o momento em que, finalmente, veria nossa sorte mudar. As amigas, por sua vez, tentavam acalmá-la e relembrá-la que tudo aconteceria no tempo de Deus. Ela concordava e, em momento algum, duvidara dessa verdade; mas, no fundo, bem lá no fundo, ela gostaria de poder controlar aquela situação — e eu também. Repetiu o anúncio negativo para as amigas algumas vezes, sempre reafirmando que não estava ansiosa, até que, certa ocasião, sentiu o Espírito Santo atingindo seu coração com uma pergunta: "Não está?". Imediatamente, o Senhor trouxe à memória dela o armário do nosso banheiro lotado de testes. Então, ela sentiu em seu coração o mesmo questionamento: "Querida, você tem certeza de que não está ansiosa?". Dali em diante, entramos em um novo, duro e longo processo com o Senhor, no qual aprendemos a permitir que ele tivesse espaço para cuidar ainda mais de nós e nos levar para um nível de confiança maior.

Deus sabe que somos limitados. Ele não é um carrasco que deseja intensificar o nosso sofrimento em momentos difíceis. O Senhor almeja que nos tornemos mais fortes por dentro, de maneira que aquilo que é terreno não tenha mais controle sobre nossa mente e nosso coração. Como criaturas projetadas para o céu, precisamos aprender a refinar as nossas intenções, os nossos desejos e atitudes.

Minha esposa e eu, após conversas e muitos momentos de oração, entregamos esse sonho nas mãos de Deus, colocamos a ansiedade de lado e descansamos, ainda que não tenhamos esquecido de colocar esse pedido diante do Senhor um dia sequer. Foi um processo dolorido e custoso. A espera é difícil, mas não existem atalhos, pois é no processo que Deus nos capacita e transforma. Esteja disponível, abra o seu coração para o Senhor e, da maneira dele, assista ao melhor acontecer em sua história.

Ainda somos trabalhados nisso, sempre seremos, mas esse processo de luta, hoje, é um testemunho lindo que, graças ao nosso bom Deus, vencemos. A Serena, nossa princesa, completa sete meses de vida enquanto escrevo estas palavras. Vale a pena descansar e confiar.

Em compensação, para vencer essa batalha em nossa mente e aprendermos a descansar, é necessário fé. Somente ela tem o poder de nos fazer enxergar através das lentes celestiais e destravar o impossível em nossa vida. Deus já está em nosso futuro e, por isso, podemos crer que as circunstâncias não têm poder de nos aprisionar. Nosso destino pertence ao Senhor. Entregue nas mãos dele e confie, mesmo que não esteja vendo nada em frente. Salmos 37 diz:

> Entrega o teu caminho ao SENHOR; confia nele, e ele o fará. E ele fará sobressair a tua justiça como a luz, e o teu juízo como o meio-dia. Descansa no SENHOR, e espera nele; não te indignes por causa daquele que prospera em seu caminho, por causa do homem que executa astutos intentos. Deixa a ira, e abandona o furor; não te indignes de forma alguma para fazer o mal. Porque os malfeitores serão desarraigados; mas aqueles que esperam no SENHOR herdarão a terra (Salmos 37.5-9, ACF).

Nossos pés precisam estar no chão, mas o nosso coração, expectativa e fé devem sempre estar no alto. O maná de hoje não significa falta do maná de amanhã. Deus cuida de nós e tem provisões diárias para nos oferecer. Minha filha Serena estava no amanhã e parecia um sonho impossível, mas o descanso e entrega nos prepararam para receber esse presente celeste.

Todos temos batalhas, medos, ansiedades, incertezas, mas uma certeza eu tenho:

> Mas, como está escrito: As coisas que o olho não viu, e o ouvido não ouviu, e não subiram ao coração do homem, são as que Deus preparou para os que o amam (1Coríntios 2.9, ACF).

É como diz o ditado: "O futuro a Deus pertence". Hoje, porém, nos foi dado pelo Senhor como o nome mesmo denuncia: presente. Aproveite o presente, e, nesse caminho, não se esqueça de que o maná de hoje já caiu do céu.

Senhor Deus, muito obrigado pelo presente que é o dia de hoje. Agradeço por mais um dia de vida, mais um dia em que acordei e estou respirando. Peço que me ajude a confiar em ti e descansar. Arranque toda a ansiedade e todo o medo do meu coração e me ensine a andar por fé cada dia mais. Eu te amo hoje e sempre. Muito obrigado. Em nome de Jesus, amém.

30

dia trinta
POSIÇÃO DE COMBATE

SEMPRE ME CONSIDEREI FRACO na época de escola. Era por isso que, vez ou outra, acabava apanhando de uns garotos que eram mais fortes, mais altos e mais destemidos do que eu. Mas a verdade é que esse não era bem o problema. Para ser franco, descobri mais tarde que eu é quem tinha uma autoimagem totalmente distorcida de mim.

Provérbios 24.10 (ARC) diz: "Se te mostrares frouxo no dia da angústia, a tua força será pequena". Foi só anos mais tarde, quando li esse versículo, que teve um real sentido para mim. Não se trata de força, mas da maneira como nos apresentamos diante das pessoas e situações. Isso é muito sério. A imagem que temos a nosso respeito e a forma como nos expomos ao mundo diz muito mais do que a quantidade de força e capacitação que temos ou não. Na vida, se nos sentimos fracos, também nos posicionaremos desse jeito diante das pessoas. Se nos mostrarmos frouxos, como o versículo diz, é exatamente a falta de força que sobressairá no dia mau.

A autoimagem não é apenas importante, ela é determinante para a nossa história. O que pensamos sobre nós pode alavancar ou soterrar o nosso futuro. No Antigo Testamento, a Bíblia nos revela que o Deus de Israel era conhecido como o Deus dos exércitos. Entretanto, isso não impediu os filisteus de desafiarem e afrontarem o Senhor e o seu povo em 1Samuel 17.

Aqueles inimigos inconsequentes e desavisados decidiram ir contra Israel, escolhendo o homem mais forte dentre eles, cujo nome era Golias, para combater aquela nação. O que eles não contavam era que o escolhido para derrotar o gigante seria um jovem miúdo e de habilidades duvidosas. Antes disso, os guerreiros de Israel, mortos de medo dos desafiadores, se esconderam e retrocederam à espera de algo milagroso que pudesse salvá-los daquela emboscada. Todos os melhores guerreiros de Israel se mostraram frouxos no dia da angústia. Eles tinham armaduras, espadas, escudos, treinamento e, acima de tudo, tinham o Senhor ao seu lado, mas não foram capazes de encarar aquela situação de frente.

A nossa força, habilidade e garantia de vitória estão em nosso Deus e não em nós mesmos.

Davi, por outro lado, não era guerreiro oficial, não tinha treinamento militar, idade, estatura nem equipamentos para, de forma lógica, vencer o gigante. Mas ele conhecia sua identidade e a identidade do seu Deus. Isso foi suficiente. O pequeno Davi, ousado como era, ao ter conhecimento do desdém com que Golias tratara o seu povo e o seu Deus, se revoltou. Acho que essa é uma característica que nos falta um pouco hoje em dia. Irar-se contra as coisas certas, contra as injustiças e mentiras, é uma qualidade que devemos buscar.

"Quem é esse filisteu incircunciso para desafiar os exércitos do Deus vivo?", o garoto perguntou furioso (cf. 1Samuel 17.26, NVI). Às vezes, o que nos falta é essa gana. É a indignação santa que nos tira do lugar comum e nos habilita a fazermos algo a respeito das injustiças, da escuridão e do mal.

A lógica humana estava ao lado de Golias, de seu histórico de guerreiro e seus quase três metros de altura. A lógica divina, contudo, estava a favor do pastor de ovelhas de Belém. Não necessitamos de estatísticas precisas em nossa defesa, mas, sim, do Senhor lutando nossas batalhas e nos capacitando diante dos desafios. Na matemática do céu, a conta não fecha mesmo, mas só aprenderemos isso na prática quando nos voluntariarmos com coragem para enfrentar os Golias de maneira destemida.

Aquela afronta do povo inimigo não era apenas contra mais um deus aleatório. Davi sabia que *Yahweh* era, sim, Deus dos exércitos, mas era também o *seu* Deus. Conhecer a identidade do Senhor nos faz conhecer a nós mesmos e vislumbrar o futuro brilhante que temos adiante. O obstáculo poderia parecer enorme, mas Davi sabia que não venceria por sua própria força e mérito. A nossa força, habilidade e garantia de vitória está em nosso Deus e não em nós mesmos. É por isso que a Palavra menciona:

> Mas Deus escolheu o que para o mundo é loucura para envergonhar os sábios e escolheu o que para o mundo é fraqueza para envergonhar o que é forte. Ele escolheu o que para o mundo é insignificante, desprezado e o que nada é, para reduzir a nada o que é, a fim de que ninguém se vanglorie diante dele (1Coríntios 1.27-29, NVI).

O mundo pode até nos menosprezar e não entender como alguém como nós pode envergonhar sábios e fortes, e reduzir a nada aqueles que se dizem importantes. Mas, quando sabemos nossa identidade e conhecemos o Deus a quem servimos, encontramos força, esperança, ousadia e desafiamos a razão terrena.

As indigestas palavras de Davi, que afirmou categoricamente que lutaria contra o gigante, chegaram aos ouvidos do rei Saul, que o mandou chamar. Ao botar os olhos no menino, apenas afirmou:

> Respondeu Saul: "Você não tem condições de lutar contra esse filisteu; você é apenas um rapaz, e ele é um guerreiro desde a mocidade". Davi, entretanto, disse a Saul: "Teu servo toma conta das ovelhas de seu pai. Quando aparece um leão ou um urso e leva uma ovelha do rebanho, eu vou atrás dele, dou-lhe golpes e livro a ovelha de sua boca. Quando se vira contra mim, eu o pego pela juba e lhe dou golpes até matá-lo. Teu servo pôde matar um leão e um urso; esse filisteu incircunciso será como um deles, pois desafiou os exércitos do Deus vivo. O SENHOR que me livrou das garras do leão e das garras do urso me livrará das mãos desse filisteu". Diante disso Saul disse a Davi: "Vá, e que o SENHOR esteja com você" (1Samuel 17.33-37, NVI).

Não tenha medo, pois o Senhor é contigo e sua força vem dele.

É como se toda a vida dele tivesse sido um treino que culminaria naquele momento em que o pastor mataria o incircunciso que zombava de seu Deus e de seu povo. Saul não acreditou no potencial de Davi quando viu sua aparência. Ele o achou fraco demais, jovem demais, alguém sem treinamento militar o bastante ou a armadura adequada. Quem sabe essa seja a visão que as pessoas ao seu redor tenham a seu respeito. Muitos podem olhar e pensar que você é fraco, mas, se você olhar para si mesmo através do espelho de Deus, saberá do que é capaz *com* Deus.

O fim da história nós já conhecemos. Davi, contra toda pesquisa, estatística e lógica, venceu o gigante Golias e demonstrou sua coragem, ousadia e fé na adversidade. O futuro rei de Israel não era maluco ou negava a realidade. Ele apenas preferiu crer que o Deus que o havia chamado seria o mesmo que lutaria em seu favor diante daqueles que desafiavam o Senhor.

Tentaram colocar roupa de soldado no pastor de ovelhas e não deu certo, porque pensaram que a vitória estava ligada ao estereótipo. O que importa é a essência que carregamos, não pura e simplesmente os apetrechos externos. Davi, com uma funda e algumas pedrinhas, destruiu os inimigos de Deus e os humilhou.

No dia da angústia, não se mostre frouxo. Creia no Deus dos exércitos que o chama para a batalha, sem nunca abandoná--lo na linha de frente. Ele é o mesmo ontem, hoje e para sempre, e será aquele que lhe mostrará sua verdadeira identidade nele. Não tenha medo, pois o Senhor é contigo e sua força vem dele. Podemos parecer fracos para o mundo, mas, na presença dos nossos inimigos, quem luta por nós tem nome: Eu Sou, que é sempre presente nas batalhas; aquele que é o Deus dos exércitos, mas também é o *nosso* Deus.

Passos práticos

1. Para se conhecer melhor, faça um teste *on-line* de temperamento e outro de personalidade. Isso o ajudará a saber minimamente quais são seus pontos fortes e os que precisa desenvolver;
2. Trace um plano para evoluir seus pontos fracos;
3. Em seguida, escreva uma estratégia prática e diária para conhecer mais a identidade de Deus.

31

dia trinta e um

FLORESCENDO NO DESERTO

UMA VEZ, ENQUANTO ASSISTIA a um pastor amigo meu pregar, escutei-o dizer que, dentro de cada semente, mora uma floresta. Isso me fez pensar que todas as vezes que uma semente morre é como se uma floresta fosse sepultada. Ele terminou a mensagem, que havia sido muito boa por sinal; mas, dentro de mim eu alimentava uma dúvida. Então, fui até ele e perguntei: "Pastor, mas e se essa semente, que carrega dentro de si uma árvore, cair em terra seca? De que maneira florescerá? Porque uma coisa é cair em solo fértil, em uma terra favorável, ideal, e outra, bem diferente, é uma semente que promete frutos incríveis cair na terra errada, seca, no deserto".

A pergunta era genuína porque, se pararmos para pensar, muitas vezes, a desculpa que damos para não gerar frutos não é a semente, mas, sim, o solo onde estamos plantados. Apresentamos como pretexto o local em que nascemos, a nossa condição social, o histórico da nossa família, a falta de oportunidades dos nossos pais, e por aí vai. Dizemos que o solo é muito seco para que as sementes que carregamos dentro de nós floresçam e gerem frutos para quem está à nossa volta. Somos tentados a pensar assim. Eu mesmo tenho uma história e não posso ignorá-la, mas também sei que Deus tem o poder de criar caminhos no deserto e rios no ermo (Isaías 43.18,19).

Foi pensando em tudo isso que Isaías 32.15 (NVI), ganhou um novo significado para mim. Esse texto bíblico diz:

> até que sobre nós o Espírito seja derramado do alto, e o deserto se transforme em campo fértil, e o campo fértil pareça uma floresta.

Antes de o Espírito Santo ser derramado, o campo frutífero não passa de um deserto, sem vida e esquecido. Entretanto, uma vez que o Espírito é derramado, o deserto frutifica e se transforma em uma floresta.

Eu me lembro de uma história que ouvi anos atrás a respeito da árvore do Ténéré, uma acácia isolada na vasta extensão do deserto do Saara que, em 1973, teve um fim triste e inesperado.[1] Essa era a única árvore em um raio de 400 quilômetros, e ninguém entendia como era capaz de florescer naquele ambiente hostil, seco e aversivo.

1. Disponível em: https://aventurasnahistoria.uol.com.br/noticias/reportagem/arvore-do-tenere-como-um-motorista-bebado-deu-fim-a-um-resquicio-de-vida-no-deserto-do-saara.phtml. Acesso em: 18 out. 2022; Disponível em: https://terraavista.blogosfera.uol.com.br/2020/07/05/a-arvore-que-sobreviveu-ao-saara-mas-nao-a-um-caminhoneiro-bebado/. Acesso em: 20 out. 2022.

Enfrentando choques de temperaturas diariamente, a árvore do Ténéré se tornou um marco para as caravanas que passavam na região, chegando, inclusive, a servir de referência em mapas militares europeus da década de 1930. O que descobriram mais tarde (1939) era que a frondosa árvore se alimentava de uma fonte de água subterrânea que ficava 35 metros abaixo do solo. Foi o exército francês, nove meses após iniciar a escavação de um poço, que encontrou a fonte que levou a muitas mudanças para o local.

A árvore ganhou notoriedade e começou a receber um número cada vez maior de visitantes, promovendo sombra e espanto em todos que tinham a chance de conhecê-la pessoalmente. Como podia uma árvore florescer no meio de um deserto? Em um local de aparente morte, sequidão e infertilidade, a acácia do Ténéré continuava viva e zombando de todas as expectativas.

Acredito que um dos motivos principais para isso ter acontecido esteja na simples diferença entre florescer e permanecer. Alguns florescem no deserto, mas não subsistem e acabam morrendo nesse mesmo lugar por darem atenção demais ao que está na superfície: a solidão do deserto, o calor intenso, a aridez e a mesmice do cenário cheio de areia. Em compensação, outros são recompensados pela permanência, apesar dos desafios externos. Mesmo que estivesse seco na parte de cima, embaixo estava úmido. Na superfície, não havia esperança, mas a fonte de água subterrânea fazia que pudesse permanecer viva e gerar sombra até mesmo em uma conjuntura de sequidão e morte.

Em 1973, quando foi atingida por um caminhoneiro bêbado e quebrou, a acácia frustrou e entristeceu todos os seus conterrâneos, que a enxergavam como um farol no meio do deserto. Essa história me fez refletir sobre o fato de que, todas as vezes que alguém floresce no deserto, se torna uma referência para quem está em volta. É inegável que florescer no deserto tem as suas dores, mas também carrega as suas honras.

Infelizmente, muitos de nós reclamamos tanto do solo em que estamos plantados que acabamos não percebendo que esse é exatamente o tipo de terra que mais precisa de nós. Queremos tanto mudar de lugar que perdemos de vista o privilégio que é florescer, aprofundar as nossas raízes e servir de sombra para quem está no entorno. Temos a chance de levar esperança, vida, descanso, refúgio para quem está no deserto, mas não conseguiu permanecer. Você e eu temos a oportunidade de ver o deserto se transformar em um campo frutífero, e este ser convertido em uma floresta. Mas, para tudo isso, necessitamos que a presença do Espírito Santo desça sobre nós.

O segredo para florescer e permanecer é o mesmo: a presença do Espírito Santo. Com ele ao nosso lado, ainda que sejamos plantados em um solo improvável, cresceremos e serviremos de sombra para outros.

No fim, após o acidente, os restos da árvore do Ténéré foram recuperados e transportados para o Museu Nacional do Níger, na capital Niamey. O local onde estava plantada ainda é um marco e recebeu uma escultura metálica no formato da Acácia, para que nunca se esquecessem de que, um dia, já havia florescido uma árvore naquele deserto. Podem nos destruir ao longo do tempo, mas jamais poderão apagar o legado

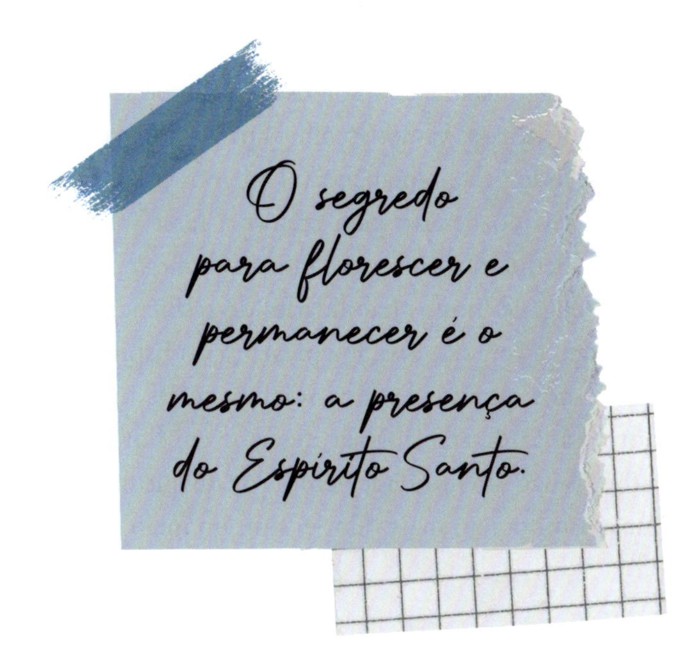

de alguém que gerou frutos para a glória de Deus. A árvore do Ténéré havia ido embora. Em seu lugar, porém, levantou-se um monumento para celebrar a sua memória e herança.

Eu ainda tenho trinta e poucos anos de idade; mas, mesmo que demore, um dia, eu vou morrer. Antes, é claro, quero incomodar e despertar bastante gente, como fez uma das minhas maiores referências: Billy Graham. Esse homem de Deus viveu 99 anos e aproveitou todos os seus dias para compartilhar sobre o Senhor Jesus, seu amor, justiça, perdão e verdade. Casado com a mesma mulher a vida inteira, esse senhor americano foi pai de cinco filhos e nunca abandonou ou negligenciou a família. Pregou a mesma mensagem por toda a sua vida, a ponto de alcançar este que vos escreve quando ainda era menino. Do mesmo modo que Billy Graham, hoje, sou um evangelista e minha família serve ao Senhor, a despeito de todo solo árido e hostil em que crescemos inicialmente e com o qual tivemos que lidar.

Todos, de alguma maneira, somos como árvores no deserto. A pergunta que fica é se vamos escolher apenas florescer ou continuar florescendo pela permanência. Podemos escolher usar os períodos difíceis do deserto para crescer e fazer sombra para outros, ou podemos nos entregar e morrer ali mesmo.

Não se engane: nossas habilidades de resiliência, saúde e força nada têm a ver com isso. É a presença do Espírito repousando sobre nós que nos faz florescer em terras inférteis. Só o Senhor é capaz de transformar desertos em florestas. Mas, enquanto elas não são realidade, lembre-se de que não é na floresta que a sombra tem mais valor e, sim, no meio do deserto.

Perguntas reflexivas

1. Onde é o deserto em que você tem a oportunidade de florescer hoje?
2. Você tem preferido ser sombra, esperança e descanso para outros ou, lentamente, tem se permitido morrer no deserto? Por quê?
3. Quais atitudes você pode começar a tomar para florescer e permanecer ainda mais?